# 絵本の力

# 絵本の力

河合隼雄
松居 直
柳田邦男

岩波書店

絵本の力●目　次

はじめに



講　演

装幀・装画／唐仁原教久
デザイン／野田　愛（ハッピー・バースディ・カンパニー）

# はじめに

河合隼雄
松居　直
柳田邦男

# 絵本の不思議

河合隼雄

絵本というのは実に不思議なものである。〇歳から百歳までが楽しめる。小さい、あるいは薄い本でも、そこに込められている内容は極めて広く深い。一度目にすると、それがいつまでもいつまでも残っていたり、ふとしたはずみに思い出されて、気持ちが揺すぶられる。それに、文化の異なるところでも、抵抗なく受けいれられる共通性をもつ。数えたてると切りがないが、それだけに絵本というものは、相当な可能性を内蔵していると思われる。

そんなわけで、今回は絵本のもつ可能性について、いろいろな角度から切りこんでみようということになった。セミナーの講師に、松居直さんの名を見ても誰も不思議に思う人は居ないだろう。しかし、柳田邦男さんの名を見て、あれっと思う人はあるだろう。ノンフィクション作家としての柳田さんはあまりにも有名だが、絵本との結びつきとなると意外に感じる人もあろう。ところが、柳田さんは今、絵本の世界にすっかりはまりこんでおられるようだ。『文藝春秋』の一九九九年十月号に発表された、絵本に関するエッセイには感心させられた。おそらく、これまでとは異なる観点からの鋭い分析をされるだろうと大いに期待している。

私は「絵本の中の音と歌」という題で話すことにした。これはいわゆる音の出る絵本などというのではなく、絵本の可能性を探る目的で、絵本の中にいかに「音」が大切な要素として描かれているかについて論じたい、と思っている。

絵本は「絵」が中心だから「音」は関係ない、などと思うのは浅はかである。たとえば、絵本の好きな人なら周知とも言える、姉崎一馬『はるにれ』(福音館書店)を見てみよう。この絵本を見て、そこに何も「音」がないなどという人は余程感受性の鈍い人だろう。この『はるにれ』は毎日、毎月、毎年、どれほどの音に囲まれて生きてきたことだろう。この絵本を見て、多くの人がその「音」を聴くはずだ。だから絵本は面白いのである。見る人によって、そこに取り出してくる可能性に相当な違いがあると言えるだろう。

このような見方で絵本を見ていると、そこからいろいろと音が聞こえてくる。そして、また一方では、音楽というものがあって、音楽が主題となっている絵本ももちろんある。この場合は、絵本の中の音は、音楽として語られるので、わかりやすいと言えばわかりやすい。しかし、そもそも音楽とは何なのだろう。それは普通の「音」とどう違うのか、などと考えはじめると難しくなる。絵本のなかには、嬉しいことにこの難しい問いに答えてくれるようなのもあるのだ。

セミナーのときは、いろいろな絵本をお見せしながら、会場の皆さんと共にその中の「音」を聞き、共に考えていきたい。

# 絵本がめざめるとき

松居　直

一九五六年四月に月刊の物語絵本「こどものとも」を創刊して以来、編集者として〝絵本の可能性〟を追求しつづけてきました。昔話、創作物語、翻訳による各国の物語、さらに自然科学や社会科学系の絵本、生活やあそびをモチーフにした絵本、図鑑などなど、絵本という表現の形がとれる可能性があるとおもわれるものには、貪欲に触手を伸ばして企画と編集をしてきました。

一方、そのころ全盛期にあり、絵本の絵画表現の典型とされていた類型的な「童画」にあきたらず、絵本の絵画表現に、日本画、洋画、水彩画、版画、グラフィックデザインから漫画にいたるあらゆるジャンルの視覚芸術を、絵本表現のなかに取りこむことを企図していました。動物、植物、乗物などを精確にしかも表情ゆたかに表現する絵画も、絵本には欠かせません。

文と絵を〝本〟という形で表現する絵本は、つとにひとつの総合芸術として認識されていましたが、言葉と絵による多様な組合わせを、さまざまな判形や頁数、用紙の質、製版と印刷の複雑な技術を駆使し、各種の製本様式の工程をへて、本として形象化する絵本は、まさに総合芸術にふさわしい作品だとおもいます。

しかもその形象化の過程で、イメージや思想の異なる作家、画家、編集者の一筋縄ではゆかぬ人間関係から、まことに興味深い創造へのいとなみや歓びに加え、つぎへの新たな可能性が生みだされます。その間、これらを具体的なものへとつくりだす、手仕事や技術をあつかう多くの人々の力も、計算に入れなくてはなりません。

そのうえに欠くことのできぬのは読者の存在です。読者なくしては読書は成りたちませんし、本がその生命を伝えることはできません。出版は読者により完結させられるのです。確実に読者の手に本が渡ること、読者の手のなかで読まれ、共感を得ることを考え尽くさねばなりません。

絵本の場合は、購買者が大人であり、おもな読者は子どもであるという二重構造があります。さらに大人は読み手、語り手として、聴き手の子どもという読者と絵本体験を共有するという、複雑な立場に立たされます。この大人と子ども——ときとして子どもの集団の場合もあります——との間をつなぐ声と言葉の働きについての認識も、絵本の可能性を考えるときに無視できぬ課題です。

因みに絵本には、二つの言葉の系があります。一つは文字として表記されている文、もう一つは絵です。実は絵もすべて言葉として読みとれます。文字が読めない幼児が独りで絵本を開いて楽しむのは、絵を読んでいるからです。特に絵本の絵は物語る絵です。わが国には十二世紀の「絵巻」以来、世界でも屈指の物語絵の伝統があり、絵で物語ること、また絵から物語を読みとることのゆたかな文化があります。

こうした綜合芸術としての絵本を演出するのが編集者で、絵本編集者にはエディターシップとともにクラフツマンシップが強く求められます。歴史的にみて一九四〇年代から七〇年代までは絵本編集者の時代で、絵本の可能性がおおきく開花したときでした。

# いのちと共鳴する絵本

柳田邦男

人は人生の折々に、様々な危機に直面する。そういう試練は、しかし、あとになって振り返ってみれば、否定的な面だけでなく、心を耕すなにか新しいものを見出す機会だったりすることが少なくないものです。

私が最もきびしい試練に立たされたのは、五十七歳の時でした。二十五歳だった次男が長い心の病の末に、自ら命を絶ったのです。自分の生き方のすべてが過ちだったように思えて、完全なうつ状態におちいり、なにもできない日がひと月、ふた月と続きました。

三か月ほどたったころでしょうか、すこしは心が落ち着いてきたこともあって、近くの駅ビルの書店にふと立ち寄りました。ふだんは小説とかノンフィクションなどのコーナーの新刊本しか見ないのに、その時は、気がついたら絵本のコーナーの前に立っていました。なぜなのかは、自分にもわかりません。無意識のうちに、息子たちが幼かったころに読んでやった絵本がなつかしくなって、いまでもかつての絵本が店頭に並んでいるのかどうか、再会したくなったのかもしれません。

なつかしい絵本は、やはりありました。しかし、新しい絵本もいろいろと平積みになって並べられていました。そのなかの一冊に私の目はくぎづけになりました。私の好きな濃いブルーを地色にして、風に吹かれるリンゴの木とマントをなびかせて立つ少年。宮沢賢治の『風の又三郎』でした。あの不思議な赤毛の少年の物語をぼんやりと思い浮かべながら、そのカバーの絵に魅せられていたのですが、そのうちに手がのびて一冊を取り上げ、頁をめくっていました。遠い昔の田舎の校舎や子どもたちの情景を追っていると、私の心は突然タイムスリップして、自分が少年だったころに飛んでいきました。そして、絵本の絵の向うに、少年時代の情景が次々に現われてきたのです。

私はその『風の又三郎』を含めて数冊の絵本を買って帰り、ゆっくりと読みました。心がなぜか穏やかに癒されていくのを感じました。絵本一冊一冊の物語に、また絵や言葉のひとつひとつに、かつて読んだ時とは違う深い意味や味わいを見出して、すっかり絵本のとりこになってしまいました。人はせっぱつまった状況に追いこまれたり、大事な人を失ったりしないと、本当に大事なものはなにかに気づかないといわれますが、私が絵本にのめりこんだのも、その時の私の心境がからんでいたのでしょう。でも、それはありがたいことでした。

それから七年になります。その間にずいぶん絵本を読みました。すばらしい発見がたくさんありました。私は児童書の専門家ではありません。人生後半になって絵本の深い語りかけを再発見した者です。いま私の頭のなかにあるのは、人生後半になってからこそ、絵本をいつも身のまわりに置き、じっくりと読むべきだという思いです。仕事にあくせくしているなかで忘れていた大事なもの――ユーモア、悲しみ、孤独、支え合い、別れ、死、いのち、といったものが、あぶり絵のように浮かび上がってきます。

私は、私にとっての絵本の再発見という視点から話をしてみたいと思っています。大人が絵本をいつも身のまわりに置き、いつも読み親しんでいなくて、どうして子どもに絵本をすすめることができるでしょうか。

# 絵本の中の音と歌

河合隼雄

# 絵本の中には音も歌もある

きょうは絵本の可能性ということでそれぞれの人間が話をするんですが、絵本にはいろんな可能性があると思うんです。私は絵本の可能性と聞いたときにすぐ思いついたのは、絵本は絵だけれども、絵の中に音も歌もある、そういう可能性です。そういうことをすぐに思いつきました。私は音楽が好きだということもあると思うんですが、絵本を見ていると音がいっぱい聞こえてくる。そういう可能性をもっている。

これを準備するにあたっていちばん困ったのは、見せたい絵本がたくさんあるんです。どれもこれも見せたい。それでは時間が足りないので、絵本の選択に苦労しました。皆さんのお手元には絵本の名前が出ていますが、全部話せないかもしれません。時間の都合でどうなるかわかりません。

まずこの絵本を見てください。おもしろい顔をしているでしょ。何かわかりますか。貴婦人みたいな顔ですが、これは木の芽です。冬の芽です。この本のタイトルは『ふ

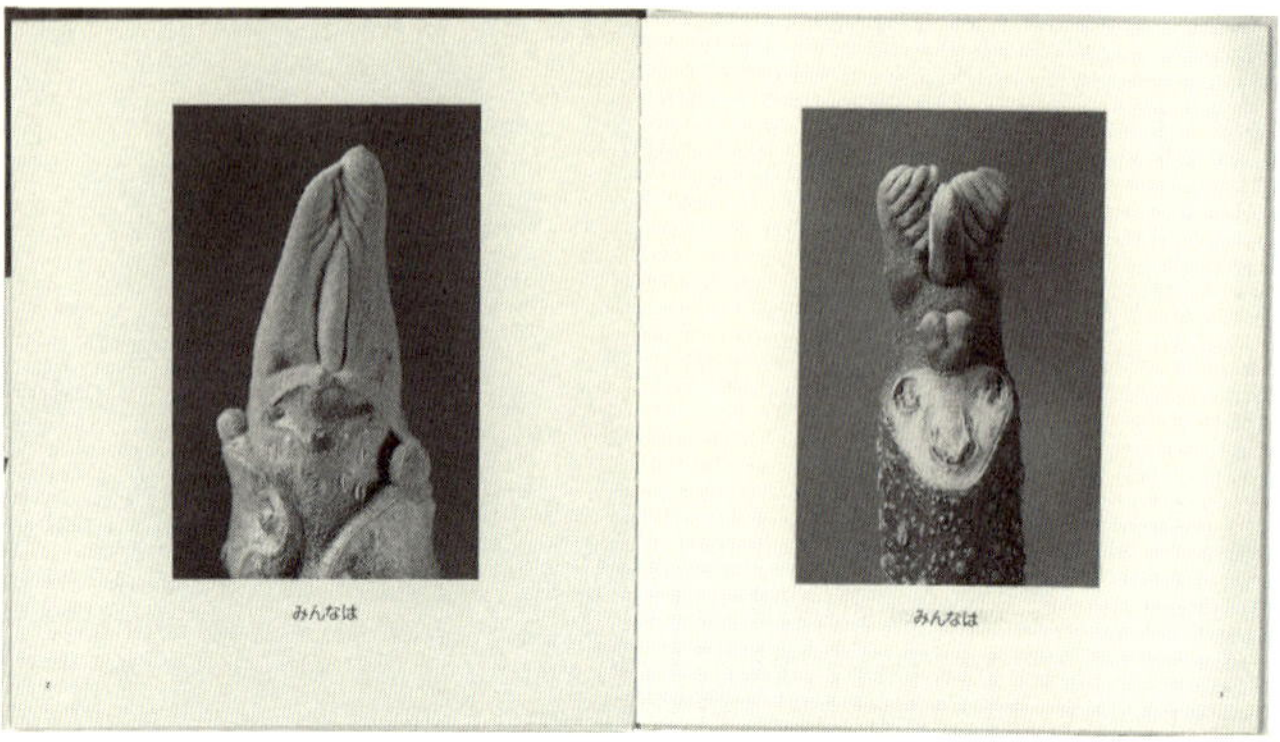


『ふゆめがっしょうだん』(福音館書店)より

ゆめがっしょうだん』(長新太文、茂木透・冨成忠夫写真　福音館書店)です。いまお見せしたのは絵ではなく、写真です。こういういろんなのがどんどん出てきて、長新太さんの文章ですが、「みんなはみんなは(……)はがでてはながさく」。パッパッパッパッという音まで聞こえてきますが、そこがこれです。いろんなふゆめが映っていますが、要するに春がやってきて、みんなが林の中で冬芽合唱団が歌を歌っている。それをお馴染みの長さんが上手に文章を書いています。僕はこれが大好きなんですが、ちょっと貴婦人みたいな感じがしませんか。すばらしいと思います。こういう冬芽合唱団がどんどん歌を歌っています。これもぜひ見せたいんですが、「にこにこ」とかいてありますね。これを見るだけでにこにこしてくる。

この本がすごく好きだったんで、ひとつ何か書いてくださいよ、といったら、一〇〇字でなんか書いてくださいという。一〇〇字で書くのはむずかしいです。知恵を絞って書いた文章が、こんな文章です。「ふゆめに顔があることも、ふゆめが合唱することも私は知らなかった。それに絵本からパッパッパッと歌声が聞こえてくることも知らなかった。この絵本は、このようにまだまだ未知の愉快なことがたくさんあること教えてくれる」。そのとおりですね。われわれ大人は、なんでも知っていると思いすぎるんです。ああ、これは木の林か、冬だな、というぐらいしか思わないのですが、子どもは、お父さん、ここに顔があるで、ここに貴婦人がおる、合唱が聞こえてくる、となるんですね。そういう可能性に満ちている世界、それが子どもの世界であり、その子どもの世界を上手に絵本にしている。

次の絵本は『だくちる　だくちる』(阪田寛夫文、長新太絵　福音館書店)というおもしろい題の絵本ですが、絵は長新太さんで、文章はお馴染みの阪田寛夫さんです。これは世界のはじまりです。これを見て音が聞こえないという人は、よほど鈍感な人で

『だくちる　だくちる』（福音館書店）より

す。ドーンと聞こえてきますね。ドーンドーンというのを聞いていて、すぐ連想したのは、児童文学ファンタジー大賞の第一回目の大賞を獲得した梨木香歩さんの『裏庭』（理論社）というのがありますね。裏庭、異界といいますか、この世ならぬ世界に入っていったときにドーン、ドーンと音が聞こえてきますね。あれは礼砲の音だといっているし、よく考えると心臓の音にも聞こえてくる。考えてみたら地球がこの世に生まれてきて、地球の鼓動がしているという感じもします。

その中で一匹のイグアノドンというのが出てくる。はじめのほうに出てきたこういうのがイグアノドンという名前があるのは、やすけどんとかなんとかどんみたいな、そういう感じがしておもしろいんですが、イグアノドンが出てきたんですが、寂しくてたまらない。一人ですからね。こんな文章があります。
「どかーん、どかーん、やまのおとだけでだれのこえもしない　ずーっとむかしはやかましいけどさびしかった」。これがそれです。ドカーンというものすごい音だけど、やかましいけど、寂しかった。こういうのを見ていますと、「むかしは」と書いてあるけど、いまみんなやかましいけど、寂しいと思いませんか。早く早くとかやかましくいわれるけど、結構寂しい。そういう感じもします。

　イグアノドンが寂しがっている絵がありますが、少し飛ばして、寂しがっていたイグアノドンがうれしいんですね。なぜかというとダクチルという声が聞こえてきて、小さい友達がやってくる。この色彩がなんともいえん、いいですね。ドカーンときているけど、イグアノドンは明るい気持ちになったんじゃないでしょうか。

　出てきたのは、ダクチル、ダクチルと鳴いているプテルダクチルスです。イグアノドンは非常にうれしい。小さな友達が出てきたので、イグアノドンは、うれしい。
「うれしくて　うれしくて　どんどん　うれしくて」と書いてあります。「どんどん

ばんばん　うれしかった」。うれしい音まで聞こえてくるんですからたいしたものです。なんでうれしかったかというと、はじめての歌だったから。イグアノドンが小さな友達に会ったとき、この地球が生まれた中ではじめての歌が聞こえてきた。

私は「音と歌」というタイトルにしましたが、ドーンという音の中に歌が聞こえてくる。音と歌は違います。歌は気持ちがこもっているし、何かを訴えている。ドーンはただ鳴っているだけです。しかし、ドーンという音も聞き手によっては歌に聞こえますね。ダクチルの声も、人によってはやかましいと思ったかもしれない。しかし、寂しいイグアノドンにとっては歌として聞こえてきた。

音は、非常に不思議なのは、人間は音から言葉をつくってくる。いってみると、私がいま出しているのも音です。音だけれども、皆さんは、音が聞こえてくると思うよりは、言葉を聞いている。

## 絵本の言葉を考える

その言葉についてこういう絵本があります。『魔法のことば』(金関寿夫訳、柚木沙弥郎絵　福音館書店)。私は絵も文も好きです。大体絵本というのは、絵と文がほんとにどうなっているのか。文が絵を呼び出していくのか、絵が文を呼び出しているのか、すばらしいんですが、私はとくにこの絵も文も好きです。これは「エスキモーに伝わる詩」という題がついていますが、いまはエスキモーといわず、イヌイットといっている人が多いですが、アメリカとかカナダの先住民の人たちの神話です。文を書いているのは、金関寿夫さんです。金関さんは、アメリカ先住民の神話をたくさん訳しています。私はおかげでずいぶんと勉強させてもらいました。

この本は絵がすばらしい。絵は柚木沙弥郎さん。たとえばこれは世界のはじまりでしょうね。『だくちる』に出てきた世界のはじまりとここに出てきた世界のはじまり。いろんな世界のはじまりのイメージがある。アメリカ先住民の人は、こういうイメージをもっていたんでしょう。星がすごく大事だったのかもしれませんね。

そういうふうな世界の中にどんなふうに生きていたかというと、「ずっと、ずっと大昔　人と動物がともに　この世にすんでいたとさ」。このときは人も動物も一緒に住んでいるんです。この絵はすばらしいでしょう。いかにも人と動物がほんとうに一緒に住んでいるという気がします。それだけではなく、なりたいと思えば人が動物になれたし、動物が人にもなれた。そういう時代です。これが次のページにいくとこういう時代です。人が動物になったり、動物が人になったり、そんなばかなと思う人がいるかもしれませんが、現代でもそんな気がしませんか。人間のはずが、しらぬまに虎になっていたという人。ありますね。奥さんよりも犬のほうがかわいらしいと思ったり、ふと見ると狼男や狸親父がいたりしますから、今も昔もひょっとしたらあまり変わってないのかもしれません。しかし、こんなふうに見事には変われなかったでしょうね。

そのころは動物も人間も同じ言葉をしゃべっていたらしいです。みんなは魔法の言葉でお互いに通じる言葉をいっていたんですけども、急に人間の言葉は、なんかいいますと、偶然いったことがそのままものにつながってくる。だから言葉は急に生命をもちだした。その絵がこれです。人間の言葉に命が出てきた。日本語でも言霊という言い方がありますが、私は思いますが、人間が言葉を思いついたときというか、考え

『魔法のことば』(福音館書店)より

ついたときは、ものすごい驚きだったでしょうね。計り知れないほどだと思います。動物もある程度は信号を出していますが、人間は言葉によってどっかにあったこととかここにあるとかだれかに伝えることができるというのは、すごいことですね。それももとをいえば音です。ここでは人間が言葉を出したことが、ほんとにそのままそのことになったというふうに書いてあります。したいことをいうというだけでもできてしまう。なんかほしいと言うだけで出てくるというか、それぐらいの言葉というものの意味を思ったんでしょう。

なぜそんなことができたのか。だれにも説明できなかった。そうですね。なんでそんなことになったのか。いちばん最後が傑作なんです。なぜそんなことになったかというと、答え、「世界はただ、そういうふうになっていたのだ」(笑)。ここにクジャクが描いてあるのは不思議に思いませんか。ここに何を描いたらいいかみんな考えると思うんですが、クジャクを描いているのはいいアイデアと思いますね。なぜかというと、クジャクの羽の全体はまさに世界なんですね。仏教でもクジャクはすごく大事になってきます。考えようによっては、なぜスズメはあんな尻尾をもっていないのか。クジャクだけがきれいなのをもってずるいじゃないかと。スズメもときたまああいうのをもったらどうだ。なぜか。答えはわかりますね。「世界はただ、そういうふうになっていたのだ」。すごいと思いませんか。こういうことで、うん、そうだ、という納得というか、それを魔法のことばを考えついた人たちが、実際神話としてもっていたわけですね。ここは言葉のほうにいきました。

なぜこの絵本を取りあげたかというと、音と歌という中に言葉のことが入っているんですが、その音が言葉のほうにどんどんどんどんいってしまうとどうなるんでしょう。私がいましゃべっているように、あるいは絵本じゃなくて、言葉だけの本を読む。本を読んで意味がわかるというふうになってきます。そして人間は言葉の線をどんどんいったためにここにあるような昔の音の世界、歌の世界、直接にすっと伝わってくるもの、あるいは自分の心の底からウワーッと動いてくるようなものを忘れかかったのではないだろうかという感じがするんです。だからきょうは、音と歌を強調していますが、そこから言葉が出てきたことも、決して忘れてはならない。そういうこともいいたいわけです。

## 絵本の音に耳をすます

次に紹介したいのは、『アフリカの音』(沢田としき作・絵　講談社)です。「かわいた風に乗り、どこからか太鼓の音が聞こえてくる」。アフリカの風景ですね。のどかで、先ほど申し上げましたが、この絵の中には音がありません。ありませんが、耳をすました人は音が聞こえてくる。どっからか太鼓の音が聞こえてくる。あるいはもっというと、心をすますと、といったほうがいいかもしれませんね。耳だけすましていたんでは聞こえないかもしれない。こういう景色の中でどこからか太鼓の音が聞こえてくる。一体なんかなあと思っていると、実はだれか太鼓を叩いている人がいる。こんな

『アフリカの音』（講談社）より

ことが書いてあります。「木をくりぬいて　作られたタイコには、一頭のヤギの皮がはられている。ヤギは死んで　皮を残し　音になって　また生きる」。おもしろい考え方ですね。ヤギは死んでしまったけど、生きているんですね。音になって残っている。これは最後にもいいますが、音というもののすごいテーマです。何かが死んだと思っているけど、実は音は世界に充満して残っているという考え方です。そういう大事な太鼓がお祭りに叩かれる。これもバランバランという音です。太陽の光りを浴びてヤギ皮が……。こんな絵です。なかなか楽しそうです。

　こういう音が、絵本を見ているあいだに僕らの心の中に聞こえてくる。「かわいた風に乗り　タイコのことば　がはこばれていく　ことばは　みどりの葉をゆ

らし　遠くへ　遠くへ　はこばれていく」言葉はどんどん運ばれていきます。「ずうっと　ずうっと　遠い祖先の昔から　変わることのない夜　星たちとねむる」。昔から変わりのないこういう景色があります。こういう景色の中にも音は満ちているんですね。こういうところが音のすごいところです。いまお見せしたのは絵を見ているだけでほんとにすばらしい。

　いろいろ見せたいので、流してしまって申し訳ないんですが、ほんとはこの一冊の本だけで一時間しゃべれといわれても結構しゃべれます。そして夜がきて朝がきます。「とくべつな朝がきた　まつりの朝だ　となりの村から　そのまたとなりの村からもタイコの音といっしょに　おおぜいの人たちが　あつまってくる」。お祭りに音楽とか太鼓は欠かせません。楽しそうにたくさんの人が集まってきます。そこでご馳走をつくります。ご馳走をつくるために穀物を突いている音とか、いろんな音がしてきます。そしてみんなで踊って、太陽の恵みに感謝して、命のつながりにも感謝して、みんな喜ぶ。その中で太鼓が叩かれて、今度はみんなが踊りをはじめます。この絵も音に満ちています。単に太鼓と踊りだけじゃなくて、人々の命の鼓動が聞こえてきます。

こういうのを見ていてよく思うんですが、お祭りというのは現代はむずかしいですね。ほんとにみんながこれだけ躍動できるようなお祭りというのは、いまの世界では少なくなっています。しかし、ここにはちゃんとお祭りがあって、最後はこういう景色になります。静かな、音がない静かな世界。けれども、どっからか太鼓の音が聞こえてくるというのが終わりです。同じテーマですね。音がしていないようで音が満ちているのが、ようく耳をすましたら聞こえてくるではないか。

聞こえない音が聞こえてくるようなテーマというふうにいいますと、今度は『ぐんぐんぐん』(デービッド・マレット文、オラ・アイタン絵、脇明子訳　岩波書店)という絵本です。「ぐんぐんぐん、みどりの歌」というんですが、これはまったく現代になります。「るんるんるん　はるかぜの　においが　してきたら　ぼくは　たがやすんだちいさなはたけ」というんで、現代の子どもが畑を耕しています。これもなかなかすばらしい絵です。一体これでどこに音があるのかというと、ここで大事なのは、この子が石ころを取ったり、耕したり、いろんなことをしているんですが、要するに夢といいますか、この子の耕しているものが伸びていく。それがぐんぐんぐん。ぐんぐんという音は、ほんとうは聞こえないですね。自分の子どもを育てるとわかりますが、見ていたらぐんぐんといって伸びられたらたいへんですが、子どもが伸びてくるのをいおうと思えば、ぐんぐんぐんといわざるを得ない。絵本をつくる人はおもしろいと思うんですね。

『ぐんぐんぐん』(岩波書店)より

ほんとうはこういう絵本ですね。それをパッとここだけパーンと本を縦に使って、まさにぐんぐんというのをここであらわしている。テーマはまさにぐんぐんぐんです。話は簡単で、この子が木を世話したりカラスがきたら邪魔しないようにしたりしてどんどん伸びていくのだというのが書かれています。「ぐんぐんぐん　どこまでも　のびていく　みどり　ぼくは　つくるんだ　すてきな　にわを」というんで、この子がすてきな庭をつくっている。

　こんな小さい子がこんな立派な庭をつくってと思う必要がないのは、児童文学ファンタジー大賞の『裏

『裏庭』(梨木果歩)、それから『秘密の花園』(バーネット)というのがありますね。『裏庭』の受賞の時、私は解説を書いて、すべての人が自分の心の中に秘密の花園をもっている。その花園の中に何を植え、何を育てるのかというのは、その人の人生の大切な課題だと書いたんですが、これなんかは、まさにそれがテーマで、おもしろいのは、ぐんぐんという音が書いてあるということです。

皆さんの心の中でも、ぐんぐんぐんぐんと鳴っているんですが、なかなか聞こえない。下手に耳をすますと、おなかの音がグーッと聞こえたりするんですが、そうじゃなくて、心をすましたときに聞こえてくる音。

そういうテーマでいくと、皆さん、おわかりだと思いますが、いちばん最初は世界のはじまりからきて、だんだん現代のテーマになってきている。現代もほんとうは同じなんだと。聞こえないようだけれども、音は聞こえている。

これは『よるのようちえん』(谷川俊太郎文、中辻悦子絵・写真　福音館書店)という絵本です。夜の幼稚園ですから、だれもいません。あたりまえですね。だれもいないどころか、物音も一つも聞こえない。われわれがそこに何もないと思っているんだけど、実はそこに何かあるというのがすごく大事なテーマで、これは「そっとさんが　かおをだしました　そっとさんは　きょろきょろりん」と書いてあります。だれもいないと思っていたら、ここに「そっとさん」というのが出てくる。おそらく皆さんで会った人はないと思います。それに、そっとさんだけではなくて、まだ出てくるんですね。どんなのが出てくるかというと、すっとさんというのが出てくる。すっとさんがすっとんとんと出てくるんです。そこにさっとさんもいます。さっとさんは、こんな調子です。昼の幼稚園は子どもがいっぱいいるんですが、夜の幼稚園にもちゃんと出てくるんですね。じっとさんもいます。ぜっとさん、もっとさん、もしかするとぱっとさん、いつの間にかぽっとさんが出てくる。それからぬっとさん、おっとさん、みんなで何人という、おもしろいでしょ。いまいったように名前ばっかり

『よるのようちえん』
（福音館書店）

書いてあって、なんとかさんというのがちょろちょろっと見えるけど、椅子にはだれも座っていませんね。だれか夜中に幼稚園にきても、見えるのは椅子だけですね。あっ、夜の幼稚園、だれもいませんねというんで帰ってしまうんだけど、ようく見ていたら、おっとさん、そっとさんがいて、がやがやとやっているわけです。すっとさんとぱっとさんは、二人でぱしゃりんこ。どっかにはまったような、いろんな音がしています。

そうしてどうなるかというと、「空が明るくなってしまいました。あれれ、みんなどっかへ消えちゃった」。この人たちは、空が明るくなるとまったくいなくなって、どっか消えていきます。「そっとさんのこえがきこえました。さよよんならららーん」。幼稚園の園長先生は、朝早くこられると、最後のらーんぐらい聞こえるじゃないですかね。えっと思うと何もいない。

夜の幼稚園、だれもいない何の音もしないと思っているのに、結構こういうおもしろい存在が出てきてやっているということです。残念ながらわれわれには、あまり見えないし、聞こえない。しかし、こういうのが見えたり、聞こえたりしだすと、非常におもしろいか、非常に恐ろしいか。大体非常におもしろいことは、非常に恐ろしいです。非常に価値のあることは、非常に危険です。みんな危険が伴います。夜の幼稚園へ行って、だれもいなかったと帰ってくるとそれで終わりですが、いたいたなんていうとたいへんなことになりますね。だれがいたの、そっとさん、さっとさんがいましたなんていいだすと、たいへんで、こういうのを見た人はあまり人にいわないほうがいいと思います。私もよく見ているんですが、大体は黙っていることにしています。

## 音から音楽へ

だんだん音から歌のほうに近づいてきまして、最後のほうは音楽になります。人間のおもしろいところで、さっき音から言葉をつくったといいましたが、今度は音から音楽を人間はつくってくるんですね。それはいろんな音がある中で、ドミソとか、そういうのを考えたりする。それを上手に節とリズムをつけると楽しくなってくる。それまでの『アフリカの音』は、リズムが多かったですが、今度はメロディに入ってくる。そういう点で、まさにはじめから音楽ということがテーマになってきます。

ここに『らくがきフルート』(D・ピンクウォーター文・絵、谷川俊太郎訳　童話屋)という本があります。これは外国の絵本ですが、まずいちばんはじめ、主人公の「ケヴィン・スプーンは　すてきなくらし　すてきなりょうしん　すてきな　おうち　じぶんの　へやとじぶんの　おふろ　じぶんの　テレビに　じぶんの　ビデオ　じぶんの　ステレオ　じぶんのパソコン」みんなもっている。日本でもこういう子どもがたくさんいます。自転車とか　いっぱいあります。それもいいのばっかり。「ケヴィン・スプーンはうんのいいこ　かあさんもとおさんもそういっている　じぶんじしんだって　そうおもう　ケヴィンのうちの　うらにはうらにわ　そのうらにわにはプールがあって　プールのうしろにへいがあり　へいのうしろに　こみちがあった」。これは幸福なケヴィンの家族とその家です。これで何もかも満ち足りていると思っているところへおもしろいことが起こるというのがお話ですね。

この裏の小道に不思議な少年が出てきます。メーソン・ミンツといって得体の知れない子で、おもしろい格好をしている。「メーソン・ミンツのりょうしんは　いろんなものをにわにうえている　カボチャなんかもそだててる　ケヴィンをみると　メーソンはいった　ホー　ケヴィン」というんですね。「ホーってなんだ」「ふつうはハイだろ」とケヴィンはいった。ミンツという子は、みんながハーイというとき、ホーというたりするんですね。なぜかというと、そういうものはそういうものだろうというんで、なかなか世界のことをよく知っているんじゃないかと思いますが。

そんな話をしていると、今度は、いまきた子どもミンツが、僕はこんなフルートをもっているというんで、ポケットから笛を出した。それはフルートというよりは笛です。フルートというと横笛を思いますが、それはオカリナに近いようなものじゃないでしょうか。それはなんや、不思議やなというと、これはらくがきフルートというんだって吹きはじめる。ミンツがペロペロと吹いています。おもしろいのは、音は色によってあらわされています。こういうところが絵本のおもしろいところですね。音と色は関係ないようであるのかもしれません。

この子の吹くフルートがあんまりおもしろいんで、ケヴィンのほうが自分のもっているものと換えてくれっていうんですね。ケヴィンはさっきいったようにいっぱいもっているから、これと換えようというてもいやだというし、これと換えようというてもいやだというし、僕はともかく自分勝手にこの笛を吹いているんだから、そんなものいらんというんです。それでケヴィンが残念がりまして、お父さん、お母さんに頼んでいろんな楽器を買ってもらうんだけど、ミンツの吹いていたおもしろい笛にはどうしても負けてしまう。ついにケヴィンがミンツに、僕のもっているピアノと換えようかといっても換えない。ヴァイオリンと換えようか、換えない。換えない、換えないうて換えてくれないんです。とうとうケヴィンが業を煮やして、もしただでくれといったらくれるかというんで、いってごらんというで、ただでくれっていったら、くれるんですね。エーッてびっくりしたら、おれはそういう人間なんだとかいってすましているんです。

ケヴィンは大喜びで吹くんですが、全然よい音が鳴りません。困ったなあと思って、ミンツのところに教えてくれっていくと、おまえ、自分の笛だから自分で吹け、教えられんというんです。どうしてというと、それはおまえの笛でおれの笛ではない。そこでケヴィンがおまえが笛をもっていったら教えてくれるかといったら、そりゃ教えたいけども、やってしまったというわけですね。そうすると二人で笛をもっていたら教えられるかいうたら、そりゃ教えられるというんで、この笛は二人で共有しようということになるんです。二人のもんやったら、一緒にやろうじゃないかというんで、最後のところは二人がえらい楽しく笛を吹いているところで終わりになります。

この絵本のテーマも明らかですね。どんなにたくさんものをもっていても、どんなに幸福そうに見えても、ほんとにこれだというのは、やっぱり人間は自分で探すより仕方ないし、これだというものをもっている子は、ものがなくても悠々としている。しかし、それが音で出てくる。題がおもしろいんですが、『らくがきフルート』というのは、ドウドル(doodle)という英語で、らくがきとちょっと感じが違う。これは実は谷川俊太郎さんが訳された絵本です。『らくがきフルート』よりもっといい題ないか、フルートというと横笛を思うしと言うと、谷川さんが、河合さん、いい題つけてというんで、ずいぶん考えましたけど、よい題は思いつきませんでした。『きまま笛』ぐらいかなあといっていましたが、あまり感心しません。これも音が絵本から広がってくる。それがみんなを楽しませてくれる。

# 魂にのこるもの

最後に紹介する本は『ヴァイオリン』(ロバート・T・アレン文、ジョージ・パスティック写真、藤原義久・千鶴子訳　評論社)です。これは絵本といえば絵本ですが、実は全部写真です。これはだいぶ長い物語です。全部をそのままお読みすることはできません。主人公は、クリスとダニーという二人の少年です。クリスが一所懸命になってビンにお小遣いをためている。ビンにいっぱいお小遣いがたまる。なぜかというと、クリスは、ある店で見たヴァイオリンがほしくてほしくて仕方なくなります。そのヴァイオリンを買うためにお金をためていて、ダニーがいろいろ応援してくれている。クリスとダニーが、

『ヴァイオリン』(評論社)

そのお金をもってヴァイオリンを買いに行く。二人がヴァイオリン屋へ行って、ヴァイオリンを見るところです。こちらがヴァイオリンで、こちらに見えるのはショーウィンドーのヴァイオリンです。

これもおもしろいんですが、子どものときというのは、あれがなんといってもほしいとか、なんでか知らないけれども、私は絶対あれになるんだとか、あれをやるんだと思いつく子がいます。みんながみんなそうではありません。たとえば今度ノーベル化学賞をもらった白川先生は、中学校のときにプラスチックの研究をするとちゃんと作文に書いておられるんですね。そんな年齢のときにそういうことをパッと心の中に思いつくというのは、非常に不思議ですね。どうしてなんだろうといったら、ただ世界はそうなっているのだというのが答えなんですけどもね。そのときに、ふとあったことをだんだん開花させていかなきゃならないというところがおもしろい。

この場合は、ビンいっぱいのお金をもっていったのに店屋のおっさんに笑われる。何をいっているか、こんなヴァイオリンが買えるか。そりゃそうですね。ものすごく上等ですから。クリスとダニーがはん泣きになって帰ろうと思ったら、これなら買えでるって。ヴァイオリンというのはピンからキリまでありますから、売ってもらうんです。喜んで二人はヴァイオリンをもって帰ってきて、クリスが弾くぞといって弾いたら、あんまり変な音がするのでダニーが耳を蓋しています。クリスはいっぺん音楽会でヴァイオリンの音を聞いているんです。あの音を聞いたら私はやりたいというんでやったんですが、ここでやると変な音がする。ダニーも助けてっていう。クリスが思ったのは、やっぱりこのヴァイオリンが悪いと。上等を売ってくれんと安物を売ってくれたんだから、こんなヴァイオリンはだめだいうてごみ箱にほってしまう。なかなか思い切ったことをする子ですが。

そこへ不思議な老人があらわれてきます。鳥籠をぶらさげているようなおもしろいおじいさんです。そのおじいさんが、ごみ箱の中のヴァイオリンを取り出して弾き出すと、すごいよい音がするんです。クリスとダニーがびっくりして、やっぱり弾き方の問題だとわかる。それでおじいさん、それは僕のヴァイオリンやといったら、おじいさんがそういうならばということで、おじいさんにヴァイオリンを習いはじめまして、クリスはだんだん上手になってきます。

そのおじいさんはおもしろい人で、一人でどっからかふらっとやってきて、鳥とか兎をいっぱい飼っていて、そういうのに音楽を聞かせて喜んでいる。クリスもどんどん上手になって、おじいさんもなかなかいいなあといっているときに、クリスとダニーがふざけて、クリスがワーッといって引っくり返ったら、ボキンとヴァイオリンをつぶしてしまう。ヴァイオリンの上に座りこんでしまうんです。こういうことってほんとに起こりますね。はっと思ったときは、いちばん大事なものがなくなった。それでクリスは、僕はもうヴァイオリンは弾かないというんです。ダニーはそれを見てたまらなくなったんでおじいさんのところに飛んでいったら、おじいさんも、クリスはヴァイオリンも上手になったし、いろいろ考えたんでしょうね。もう旅に出ようと思って出掛けるところだった。その話をするとおじいさんがパッとやってきて、おじいさんは考えた末、自分のヴァイオリンをクリスにやるんです。これをやる、おじいさんはどうするのいうたら、僕はまたどっかで見つけるだろうというんです。このへんは書いてありませんが、わかるところがありますね。自分はヴァイオリンを弾こうと思ってすごくやってきたけど、やっぱりクリスはすごく弾くし、自分はヴァイオリンで飯を食う人間じゃないとおじいさんは思ったかもしれませんね。そのへんのことはむしろ巧みにぼかされています。

おじいさんはヴァイオリンを残して立ち去っていくんです。クリスは追いかけていって、見たら、おじいさんは船に乗ってどこかへ行く。二人が必死に呼んでも聞こえない。そこでクリスが思いついてヴァイオリンを弾くんですね。そうするとヴァイオリンの音に対しておじいさんははっと反応してうれしそうに帰っていくんです。帰っていくんだけれども、結局は何にもいわずに立ち去ってしまいます。最後の文章はこんな文章です。「あとで、クリスはダニーにいってきかせるだろう。うつくしい音楽の世界をのこしていく人は、だれも、さようなら、なんていわないんだよ」。なんでおじいさんはさようならといわないんでしょうね。さっき『よるのようちえん』は、さよよんならららんといって帰りましたね。あそこに出てきたそっとさんたちは、またくるからです。またくることは確実ですね。このおじいさんはもうきません。きませんけど、もっと確実なことがある。それは音が残っているということです。音楽は残っている。これはすべてのテーマに共通でした。やぎが死んでも音は残っている。

ヴァイオリンがこわれても、ボディがこわれても残るものというと、私なんかすぐ連想するのは、魂ということです。体がなくなってもまだ残っている。

そういう意味で音と歌というのは、心をすましていたら聞こえてくる魂のひびきといっていいのではないかと思います。私の話から皆さんの心の中に音と歌が残ったら、私は終わりといわずに終わろうと思います。

# 絵本がめざめるとき

松居　直

## 幼少期の絵本体験

河合さんのお話の中にだれでも秘密の花園をもっているというお話がありました。きょうは、私の秘密の花園についてお話を申し上げたいと思います。私は河合さん、柳田さんと違いまして、絵本を読む側の立場ではなく、つくる側の立場です。なぜ絵本を編集するようになったのか、あるいはどういうバックグラウンドなり、自分の秘密の花園から何を引っ張り出して絵本をつくったのか。そういうことについてお話をさせていただこうと思います。

絵本をつくるとき、いちばん頼りになるのは自分の目と自分の感性ではないかと思っています。元来私は編集者になる考えがあってなったのではなく、また出版界に入ろうと思って入ったのでもありません。いってみれば偶然に出版界に入ることになって、子どもの本も、そこにしか可能性がないと判断して手がけたのです。一九五〇年代にまだ日本の絵本の出版は現在のような絵本ではない本の出版が主流で、本格的な絵本はまだなかった時代に、絵本に大きい、強い可能性を感じました。それは勘というしかしょうがないのですが、そこにならば後発の小出版社として生き残れる可能性があるのではないかと思った。それで子どもの本の中でとくに絵本に焦点を合わせてきた。

なぜそういう判断をしたのかは、あとになって考えますと、自分の小さいときからの育ち、生い立ちに大きな手掛かりがあったんだとわかるようになりました。いちばん強い手掛かりは、自分自身の絵本体験です。私は一九二六年生まれですから、昭和の初期に幼年時代をすごしました。そのときに私の母が、毎日ではありませんが、絵本、そのころは絵雑誌ですが、『コドモノクニ』という絵雑誌をよく読んでくれました。『コドモノクニ』は、一九二二年創刊ですから、私が生まれる前に創刊されていたのですが、私は六人兄弟の上から五番目だったので、わが家には創刊号からかなり揃っていたんです。毎月本屋さんが新刊を届けてくださるんですが、私は生まれる前の創刊号から知っていました。

母が読んでくれるのは、私を寝かせるためですから、蒲団の中で読むんです。母親は商家の女将さんですから上手な読み方ではありませんが、子どもにとってよい読み手でした。なぜかというと、私が読んでというところを読むんです。決して自分で選択はしない。母親にすれば、早く寝てくれればいいんですから、どこを読んだってかまわない。喜ぶところを読めば早く寝るだろうと思っているんですが、同じところを何度でも読んでくれる。四回でも五回でも同じところを読んでくれる。私は自分がいちばん好きなところを読ませているわけです。寝るのは母親のほうで、私はなかなか寝ません。普段は母親とそういうふうに一緒にいられる時間がほんとにありませんので、唯一母親を独占できるのがその時間ですから、私は目をパッチリ開いて、耳をピーンと立てて聞いているわけです。もちろん字は読めなかった。ほとんどが創作の童謡でした。北原白秋、西條八十、野口雨情の代表作は、『赤い鳥』か『コドモノクニ』

『コドモノクニ』創刊号

に出ていた。一つ読みますと、今度はここといいますと、そこを読んでくれる。それはいまになりますと、とってもありがたい体験だった。

その中で私はとくに北原白秋が好きでした。白秋の童謡を繰り返し、繰り返し、耳から聞きました。耳からという言葉の体験がとっても大切だということを実はそのときに知ったのかもわかりません。読むよりも耳から聞くほうがうんと言葉の本質に迫れるのではないかといまは考えていますが、幼児期に耳からほんとに楽しい言葉の体験をしました。

北原白秋、西條八十といったような人は、とくにモダニズムの詩人ですから、言葉の選択やリズム、イメージ、そういうものがモダンで新鮮なんです。つまり、ハイカラなんです。もちろん私はそのとき、ハイカラだとかなんとかはわかりませんが、ほかの童謡とは違う。

あるとき白秋の詩を読んでもらっていましたら、ピチピチチャプチャプランランランという言葉が出てきてびっくりしました。そんな日本語は聞いたことがありませんでした。はじめてそういう言葉を耳にしました。いまでこそその表現は陳腐です。しかし、あれを最初に聞いたとき、まだ童謡として曲はついていなかった。聞いたときはほんとにびっくりしたんです。とっても新鮮な感覚、感じを受けました。そういうことから私はいつのまにか、言葉というのは、耳で聞くときがいちばん楽しいと思うようになりました。いまでもおそらく北原白秋と西條八十の代表的な童謡が朗読されればどちらがどちらかというのは、ほぼ聞き分けられるだろうと思うんです。二人ともたいへんモダンですが、言葉の選び方や使い方、働き、言葉から出るイメージ、リズム、ひびき、そういうものがとっても違う。

## 絵本は大人が子どもに読むもの

私は先頃、最相葉月さんの『絶対音感』(小学館)という本を読んでいたとき、絶対語感のようなものだってあるよと思ったことがあります。それぞれの詩人の言葉の世界を耳をとおして感覚的に受け止めることが、私が幼児期に体験したことです。

私は絵本の編集者になって、絵本は子どもに読ませる本ではないという編集方針を第一番に打ち出しました。じゃ、なんですかといわれたとき、大人が子どもに読んでやる本ですと。いまでもその考え方は変えていません。絵本は子どもに読ませる本ではない。大人が子どもに読んでやる本です。たとえ小学生、中学生であろうと、私は大学生にもよく読みましたが、大学生であろうと絵本を自分で読むときと読んでもらうときとでは非常に違う印象をもつようです。

あるとき、教育学部の学生が、私は絵本がとっても好きで、いろんな絵本を知っています、絵本はほんとうに楽しい世界だと思いますといったものですから、いつどこでだれにどの本を読んでもらったのと質問した。すると自分で読んでいましたというんです。それでは絵本はわからないよといいました。そこで私は毎時間、毎時間、講義のときに極力、絵本を読むようにしました。そうすると学生たちは自分で読んでいたときと読んでもらったときとではとても印象が違う。こんなにおもしろいものだとは思わなかったと何人もの人がいいました。

つまり、絵本というのは、絵を見ながら読んでもらうときに不思議な働き、大きな世界をつくっていくんですね。皆さんはここにお見せするこの本が絵本だと思われるでしょうが、これは絵本の入口だと思います。ほんとうの絵本は別のところにできるんです。どういうふうにできるかというと、子どもが読者である場合は、子どもが自分で絵本をつくるんです。つまり、耳で言葉を聞いて、目で絵本の挿絵を見ます。実は子どもは挿絵を見るのではなく、読んでいるんです。絵というのは、すべて言葉の世界です。言葉にならない絵はありません。抽象画でも言葉になります。線や形や色がありますから。子どもたちは絵を読むのです。大人の方は絵を見ますが、子どもは絵を読む。絵の中にある言葉を読む。そしてまったく同時に耳から言葉の世界を体験する。耳から聞いた言葉の世界と目で見た言葉の世界が子どもの中で一つになります。そこに絵本ができる。

絵本は自分で読んでいますと、言葉と挿絵の間にどうしても溝ができる。時間の差ができますから、それを一つにするのはなかなかむずかしい。しかし読んでもらえば即座にできる。そして子どもの中に生き生きとした物語の世界が見える。ほんとうの絵本の世界が見える。絵本の中に印刷されている挿絵は静止画ですが、子どもの中に見えている絵本の絵は、生き生きと動いている。耳から聞く言葉が絵をどんどん動かし、広げていきます。そういうふうにして子どもは絵本体験をする。自分で絵本の物語の世界をつくる体験をする。そういう体験が実は絵本の本質に触れることです。

私は編集者でしたから、それを仕事にしていました。原稿があって原画がある。この原稿とこの原画の組み合わせで、子どもの中にどういう世界ができるかということを予め計算しなければいけないし、デッサンしなきゃならない。ここの文章はこの絵と合わない、どちらかを直さなきゃだめだといったようなことを予め考えて、そして文章を書かれる方、絵を描かれる方にそれぞれもう一度考えていただいたり、書き直しいただいたりという厄介なことをしていただくわけです。子どもの中にいきいきした物語の世界ができなければ絵本の目的を達することはできない。ですから編集者としては子どもにかわって予めそういうことを緻密に計算しなければならない。

その機微というか、そういう働きがあるということを知ったのが幼児期の絵本体験です。挿絵を見ていて母が読んでくれる。私が好きな場面は、大体文章と絵とがピタッと合っている。どんなにすばらしい絵がついていても、文章と合っていないところは入っていけない。子どもはその世界に入っていくわけですから、入っていけないと絵本をみる目的を達することはできない。楽しくない。語りかけてこない。

そういうことで耳から童謡を聞きながら言葉の働き、言葉がどんなにおもしろい世界を展開してくれるか、見せてくれるかを体験する一方で挿絵を読むのです。当時は童画の草創期でした。童画という言葉は、一九二四年でしたか、銀座の資生堂ギャラリーで武井武雄が武井武雄童画展を開催した。そのとき童画という言葉がはじめて使われました。童謡や童話という言葉があるんだから童画があってもいいでしょという武井武雄の考え方です。それがいまだに童画という用語で生きている。私が見ていた絵雑誌『コドモノクニ』というのは、まさに当時の新進の童画家の晴れの舞台だったのです。

皆さんもご存じの絵描きさんかもしれませんが、武井武雄、清水良雄、岡本帰一、本田庄太郎、川上四郎、初山滋、村山知義といった日本の子どもの本のイラストレーションを確立した人たちのいちばん油の乗っていた時代の挿絵を、私は『コドモノクニ』の中で見ることができました。

実はそのときに意識はしませんでしたが、絵を読むということを知ったんです。というのは、母が読んでくれるときは、耳のほうにほとんど神経がいっている。もちろん絵は見ています。しかし、母が読んでくれる声のほうが私にとっては魅力があります。ところが、自分では字が読めないし、毎日は読んでもらえないので、枕元に本を積み上げて、自分の好きなところを探しながら、ひとりで絵を見るわけです。そのときは挿絵をなめるように見た。隅から隅まで。耳から聞いているときはうっかり見過ごしていたようなディテールがいっぱいある。あっこんなところにネズミがいたとか、どうしてこんなところにこんなものが描いてあるのだろうとか、というように絵をなめるように見ていました。まさに絵を読んでいたんです。絵を読んでいろんなことを想像していました。好きな童謡の場合は、その童謡の世界を自分なりに絵を頼りにして、そしてディテール、細部を頼りにして読み広げていったわけです。

そういうことがありまして、一人で絵を見る体験の中で細部が語るおもしろさを知りましたし、言葉と絵がどういうふうな働きをするのかということもそのときに何となく知ったんです。絵と言葉の一体感、ときにはせめぎ合いというようなことがありました。そういうせめぎ合いの中にとってても快い緊張感、ドラマみたいなものを、意識はしなかったですが、感じていたような気がします。

言葉が絵になったり、絵が言葉になったりする。そこから見えてくる世界、イメージの世界にずっと入っていく。そんなことをいうと、ほんとは子どもの気持ちとちょっと離れるんですが、子どもたちはナイーブにそういう働きを絵本の中から引っ張り出しては楽しんでいる。そういう絵本体験が先ほどいった、絵本は大人が子どもに読んでやる本だという私の主張につながってくるわけです。

## 絵を見る喜び

別の体験ですが、絵というものの美しさを幼稚園や小学校のころに知りました。私の父は絵を見るのが好きだったものですから、毎年、帝国美術院展がありますと、京都の岡崎の美術館へ行くんです。私は絵なんかあまり興味はなかったんですが、市電に乗れるものですから父親に付いていく。そして展覧会場に入る。日本画は少しわかるんですが、油絵は全然おもしろくなかった。何を描いているのと首をかしげて見ていました。日本画のところは、たとえば富士山が描いてある横山大観の絵があったり、画面から出てきそうな動物が描いてあったり、美しい女性の絵があったり、日本画のほうは割合に親しみがもてる。

その中にいつもいつも気になる絵があった。行くたびに気になる絵があった。とっても美しい女性が、いろんな女性の姿が描いてある。私は小学生のころでしたが、ほんとうに美しいと思ったんです。偽りなくそう思った。父にこれはどういう絵描きさんかと聞きましたら、「しょうえんさんや」といいました。上村松園です。上村松園のもっとも代表作がちょうど私の子どものころに発表されている。それを見たんです。いまでも私の美の基準は上村松園なんです。きりっとした絵、はんなりした絵、まさに京都の絵描きさんだと思います。上村松園の絵は招き寄せてくれるような気がするんです。自分の世界を見せるんじゃなくて、招き寄せる感じがする。子ども心に何となくそういうふうに感じた。すうっと絵のほうへいってしまうような感じがした。語りかけるのではなく、もっと包み込んでくるような絵でした。

上村松園の有名な『序の舞』、一九三六年に発表された作品ですが、私はいまでも覚えています。松園先生の遺作展へ行きますと、ああ、懐かしいと思います。『序の舞』は代表作で美しい絵です。『夕暮』という絵もありました。これもはっきり覚えています。一九四一年の絵です。そういう絵は子ども心にも残っているんです。子どものときは画題など知りませんが、画集を見てあっこの絵だというのがあるわけです。そういうことで小学生のとき、上村松園の絵に出会ったということは、ほんとに幸せなことだったと思います。

もう一人とても気になる絵描きさんがいました。風景画が多いんですが、ときどき動物を描かれる。犬の絵が描いてある。犬よりも犬なんです。私は父に、これはだあれといったら、「せいほうさんや」といいました。竹内栖鳳です。むずかしくいえば写生ということを私に知らせてくれた絵かもしれません。リアリズムじゃないですね。写生とか写意とか、東洋の画論に出てくる、そういうもの。体験的に何かそういうものを感じさせてくれた。ものを見る、ものを写すということ。その中で何かが表現されている。そういうことを体験することができました。

さらにもう一つ、少年時代の絵の体験があります。絵本の編集者としてはそういう意味で恵まれたと思いますが、先ほど油絵は全然おもしろくなかったといいました。どれを見てもこれを見ても何が描いてあるかわからない。ところが、私の親戚に油絵画家がおりまして、小学生のころからそのアトリエへ母親に連れられてときどき行きました。私の叔父で、須田国太郎という油絵画家です。そのアトリエへ行くと独特の臭いがする。私はいまでも油絵具の臭いは好きですが、そして油絵を描く人はこういう世界で描いているのかと思いましたし、個展を美術館でしているので、お付き合いに見に行ったこともあります。そういう中で日本画の世界のほかに油絵で表現する絵画の世界があるんだということを意識しはじめました。

とくに戦争中、中学生のころに、その須田国太郎のアトリエによく行きました。勤労動員で工場で働いて、疲れ果てて京都へ帰ってきますと、叔父のところへよく行きました。そこがオアシスみたいなものでした。須田国太郎という人は、油絵画家ですが、日本的な、とくに日本文化にたいへん造詣の深い人でしたから、あまりバタ臭い人ではないんです。晩年は、畳の上にちゃんと正座して、イーゼルを前に立てて絵を描いていました。私と話をするときでも、足を崩したことがないんです。非常に礼儀正しい人でした。私もちゃんと座ってお互いに話し合っているわけです。丁寧にいろんなことを教えてくれました。

とくに私が興味をもっていた日本の古典、そのころの少年ですから、国学とか国粋主義や日本の古典について興味をもっていたのですが、叔父はそれを知っていて、私が日本の古典で何かおもしろい本はありますかというと、ああ、あるよと何冊かの本を出してくれた。これを読んだらおもしろいんじゃないの。近松の世話物だというんです。これは非常におもしろい、世話物を一回読んでごらんなさいよ。私の思想傾向をわかっていてそれを勧めたんだと思いますが、私ははじめて近松門左衛門を読んだのです。ちょうど中学の四年生、五年生のころです。近松を読み終って、他にも何かおもしろいのはありますかというと、今度は井原西鶴だという。ちゃんと全集をもっていましたから、それを貸してくれました。西洋のものを勧めるんじゃないんです。訪ねて行きますと、ときどきドイツ語の本を読んでいたりするので、何を読んでいるんですか、ときくと、ゲーテを読んでいるんだよという。ゲーテの全集は、第一次世界大戦後に、ウィーンの古本屋で靴下一足と引換えに買ったんだといっていました。

戦時中の殺伐とした中で日本の古典に対していろんな角度で興味をもつよう導いてくれました。

また須田国太郎は謡の名手でした。先代の金剛巌さんと親しい人で、しょっちゅう能を見に行くんです。実は私も中学に入ってから能に引かれた。狂言よりも能のほうがおもしろかった。学生を対象にした学生能というのが京都にはあったので、よく観世能楽堂に見に行っていましたが、叔父がたまに電話をくれて、これから金剛の能楽堂へ行くけども、付いてくるかっていうんです。私は大喜びで付いていきます。私は舞台に目を向けようとしているんですが、隣に座っている叔父は、目はきちんと舞台を見ているんですが、手は動いている。スケッチブックを広げてクロッキーをしている。全然自分の手元は見ない。ちゃんと舞台を見ている。謡のことは全部わかっている人ですから、舞台を見ながら手を動かしている。ほんとうにびっくりしました。線というのは、こういう生きたものかと思った。私は舞台を見るどころじゃなくて、叔父のクロッキーのほうを見ているのですが、ほんとに線が生き生きと舞台の能役者の姿を写すんです。線というのはこんなに力をもっているものか、こんなに表現力のあるものかということをそのときに知りました。これもたいへんありがたかったと思います。

目で見るということと耳で聞くということ。とくに謡は耳で聞いています。予め謡曲の本を読んでいきますから意味は知っているんですが、舞台の、形がきちんと整った能役者の動きを見ていますと、そこからスーッとまたイメージが広がっていくんですね。私は絵本の編集者になったときに、文章や絵を描いてくださる方は、能楽でいえばシテ、編集者はワキだと思いました。脇役というのはいちばん最初に出てきて、これからどういう話がはじまるのかというイントロダクションをやる。そうして主役の仕手が出てきて、脇役が仕手をいわばもり立てていく。そういうシテとワキとの関係が、あるいは芸術家と編集者の関係なのかなと思ったこともあります。

須田国太郎は、油絵画家です。京都帝国大学を卒業して、しかもスペインにずっと滞在して絵の勉強をしていた。ほかの人はみんなフランスへ行くのに、彼だけはスペインへ行ったんです。どうしてスペインへ行ったんですかと聞きましたら、ベラスケスを見たいと思ったんだというんです。油絵画家でいちばん油絵の画材を見事に使いこなしているのはベラスケスだと思う、だからベラスケスを勉強しに行こうと思った。そこでエル・グレコやゴヤの絵にとっても引かれる。エル・グレコのたいへんすばらしい模写が京都の近代美術館にいまでもあります。また画風は確かにゴヤの影響があります。そういうふうにして西洋画のリアリズム、表現の可能性、そういうものをものすごく追求していたんだなということを感じました。

彼が描く絵は、バタ臭い絵はほとんどないんです。ふつう洋画家はエキゾチックな風景をモチーフにしますが、須田国太郎の絵は、まったく日本の風景を描く。つまり、油絵でどれほど日本が表現できるかということが一生の課題だったわけです。ですから東大寺の南大門とか、祇園の塔の絵、そういう日本の古い建築をモチーフにしたものがあります。東京の近代美術館にもあります。

戦後、昭和二十二年でしたか、五十五歳で芸術院会員に選ばれましたが、日本の文化と西洋の文化の葛藤といいますか、そういうものを思想的に芸術的に突き詰めていく姿を見ることができました。これも私にとっては秘密の花園です。この話はほとんどしたことがないので、きょうがはじめてかもしれません。

## 日本の絵巻の伝統

私は京都の府立二中へ入学しました。そこで一人の歴史の先生にお会いしました。井上頼寿という歴史の先生が、とっても興味深い授業をされました。この方は、本来民俗学者です。いまでも平凡社の東洋文庫に『京都民俗志』というおもしろい本がありますが、あれが井上頼寿先生の主著です。その先生にお会いして、私はだんだん歴史と民俗学に興味をもつようになりました。中学二年生のときはすっかりその世界にはまり込んでしまっていた。

京都二中にはそのころたいへんおもしろい制度、特別研究制度というのがあった。生徒が一年間こういうテーマで研究したいと思うテーマを提出すると先生方が審査されて、これとこれとこれには特別研究費を出すと決める。一年間にたしか五円くださるんですが、当時の五円は価値がありました。本代ですね。その代わり、二月に必ず全校生徒の前で十五分ぐらい研究発表をしなければいけない。私は二年生のとき、絵巻の研究のテーマを出した。井上先生のサジェッションもあったんです。絵巻の中には日本の生活から建築からあらゆるディテールが入っているんだから、あれを見てごらんよとおっしゃった。

それで私は、絵巻に興味をもっていろいろ見るようになりました。たまたま京都の博物館で戦時中最大の絵巻物展がありました。ほとんどの絵巻が展示されているのを見て、ますます絵巻物に対して興味をもちました。つまり、物語絵。絵で物語を語るというのは、どういうことか。日本には十二世紀からすばらしい物語絵の伝統があるんだということを絵巻を通して知りました。いちばん最初は『鳥獣戯画』とか『源氏物語絵巻』がそうですが、『伴大納言絵詞』、あるいは『信貴山縁起絵巻』、日本の絵巻の最高の傑作は、いちばん初期に揃って出てくる。美術というのは、そういうところがあります。ルネッサンスでもそうです。そういう初期のものから江戸時代のものまで、かなりいろいろなものを見ることができました。北野神社へ行きますと、宝物館には『北野天神縁起』という絵巻が展示されていました。

浦島太郎の絵巻があると聞きましてどうしても見たいと思った。それが京都の丹後半島の先の宇良神社という小さなお宮にあると聞いて、井上先生や友達と福知山から大江山を歩いて越えて丹後半島の先まで行った。宇良神社へ行って神主さんに見せていただけますかといったら、いとも無造作にサーッと広げて見せてくださったんです。いまは『浦島明神縁起』は重要文化財ですから、あんなことはできません。ゆっくりゆっくり見せていただいて、そこで一晩泊めていただいて帰ってきた。

絵巻、日本の物語絵の源流、そしてそれがどういうふうに変わっていくのかということを、たまたまこの頃に確かめることができました。

もう一つは、井上先生が日曜日ごとにフィールドワークをなさる。山村とか農村へ行って、年中行事や民間信仰、あるいはアニミズムを調べる。それにくっついていくわけです。私は身体の弱い子どもだったんですが、歩くことをはじめてそのころから元気になったんです。歩いて歩いて歩き回りました。大げさにいえば畿内一円歩いたというくらい歩きました。戦争中ですからバスなんかありません。里の暮らし、あるいは山人の暮らしを直接おじいさんたちから先生が聞き書きをされるのに付き合っていて、ほんとにいろいろの体験をしました。山の神さまはどういう方なのか。山の神さまというのは、たいへんこわい人で、山に入るとき、必ずご挨拶をしてから入るんだよとか、木を切るときも、お断りをして、山の神さまにお祈りをしてから木を切るんだとか、一年に一回は必ずお祭りをする。そのときはお神酒をあげてオコゼをあげるという。オコゼって魚ですよね。オコゼはこわい顔をしているだろっておじいさんがいう。オコゼをあげると山の神さまは喜ぶ。なぜか。山の神さまは女性なんだそうです。たいへん恐ろしい顔をしているんだそうです。オコゼをあげると山の神さまは、自分のほうがまだましだと喜ぶ。そのおじいさんはそういったんです。ほんとうの山人の暮らしに触れることができました。

こうして実物と実地を体験することを知ったんです。その中で、もちろん井上先生は、いろんな神社仏閣も回りますから、その神社仏閣へ行って建築を見たり、仏像を見たり、壁画を見たり、時にはお祭りを見たりと、いろんなことをしました。そして自分の中に独特な歴史感覚がもてたような気がします。そういう意味で私は京都に生まれて幸せだったと思うんです。

実は私は、柳田国男先生に原稿を送ったことがあるんです。柳田先生はそのころ、

『民間伝承』という有名な民俗学の雑誌を主宰しておられました。そこに未熟ですけれども、いろいろ見聞きしたことをまとめてお送りしました。そうしたら、もっともっとしっかりと勉強しなさいよというおはがきをいただきました。あれをとっておけばよかったと思うんです。どこかへいっちゃったんです。私の中学二年生、三年生のとき、一度ずつですが、投稿したのをちゃんと『民間伝承』に載せてくださいました。復刻版を見ますと載っていますから、夢ではなかったと思うんです。こうして本の中だけでは得られない体験をすることができました。

一方では本を読むのは好きでしたし、日本の古典を片っ端から読んでやろうと三年生、四年生のころに思いはじめて、岩波文庫の『古事記』『日本書紀』『万葉集』、『風土記』『竹取物語』などずっと古いところから読んでいくという志を立てて、わかってもわからなくても読むということになんとなく意味を感じたりしていたんです。『北越雪譜』や『利根川図志』もその頃読みました。

## 声に出して読むということ

とくに古典を読んでいる中で『増鏡』『平家物語』『太平記』などは声に出して読んでいました。朗読はとっても好きなんです。そういうことに興味をもったのは、私の三つ年上の兄がいて、その兄が隣の部屋で日本の古典を朗読していたんです。あんまり文章がきれいなものですから、私はついつい障子を開けて、何を読んでいるのって聞きました。そしたら『増鏡』だという。私はそのとき日本の古典の文体の美しさを、むずかしいことはわかりませんが、直感的に感じました。声に出して読むことがあんなにここちよい世界なのかと感じて、『平家物語』なんかしょっちゅう声に出して読んでいました。黙読するのと声に出して読むのとは違うんです。ときには声に出して読んだほうがつややかでずっとイメージが広がっていくことがある。『太平記』でもそうですし、『奥の細道』でもそうです。とくに道行の場面はほんとに美しい文章です。そういう古典の中にあるリズム、言葉のひびきやつや、それが、古典によって少しずつ違いますが、見事な組み合わせで表現されている。

絵本の編集の仕事をしていますと、ヨーロッパなどで話をする機会もありましたので、そのとき、実は私は日本の古代中世の歌を十ぐらいならいまでもたちどころに暗唱できますといったことがあるんです。みんなびっくりされる。古代中世といったら、ギリシャ、ローマですから。実は詳しい説明はしませんでしたが、ほんとうに古代中世の詩を朗読することができます。種明しをすれば百人一首です。『万葉集』は古代の詩集です。『古今集』は中世の詩集です。私は子どものときから覚えていました。いまでも覚えています。ああいう遊びがだんだんなくなるということは、言葉の伝承としてとっても惜しいことだと思います。そういう中で日本語独特の言葉の世界を私たちは受け継いできたのではないだろうか。もちろん現在の詩がだめだといっているのではありません。現在の詩も好きですが、しかし、そういった古典の中にあるものはまた違います。たとえばロシアへ行きますと、幼稚園ぐらいの子どもたちが、いまからプーシキンの詩を朗読しますと、お客さんがくるとよくやります。かなり長い詩をずっと朗読するんですね。私は、この子どもたちはすばらしい言葉の体験をしているんだなと思うことがありました。ですから、つい負けないで私も古代中世の詩を知っていますよといいたくなってくるわけです。

そういった日本の言葉の源流といいますか、どこからあの見事な言葉が流れてくるのか。現在に続いているのか。あるいは続いていないのか。そういったことがとっても気になっています。

大学生になってからは西洋美術とアメリカ史に興味をもったんです。キリスト教にも興味をもちました。大学時代にアメリカ史に興味をもったものですから、まだ絵本をはじめる前、「岩波の子どもの本」の中で『ちいさいおうち』という絵本が出たとき、これを読んでびっくりした。あっ、アメリカ史じゃないの。これはアメリカ文学の重要なテーマである機械文明と田園の理想、田園主義と都市文明がどういうかかわりをもっているのかというアメリカの文学のメインテーマに触れていると感じました。それがこの中にちゃんと描かれている。これにはびっくりしました。バージニア・リー・バートンのほかの絵本も読んでみますと、一冊一冊、全部そういったアメリカ史がバックグラウンドにあるということも知りました。

1

# 物語絵本の発見

## ―ワンダ・ガアグ『100まんびきのねこ』―

松居　直

一九二八年にアメリカで出版された『一〇〇まんびきのねこ』は、ワンダ・ガアグの最初の絵本です。カワード・マッカン社の編集者アーネスティン・エヴァンズが、ニューヨークのヴァイエ画廊でのガアグの版画展をみて強い興味をもち、絵本づくりの話をもちかけました。

ガアグは子ども好きで、日頃から物語の創作にも手を染めていたので、この誘いにのり、書きためていた話の中から猫の話を仕上げ、それに得意な版画的技法を生かし、手工芸的センスを駆使してさし絵をつけました。

## 2

『一〇〇まんびきのねこ』の最大の特色は、物語としての完成度の高さです。ガアグは幼少時から父母の故郷ボヘミアの昔話や大人たちの語る物語を耳にし、また面倒をみていた妹たちや弟に物語ったゆたかな経験から、話がそれからそれからと流れる筋、繰り返しのリズム、ことばのもつ音韻、語り口の起承転結などを、しっかり身につけていました。

目にみえるように口で語られる物語を、耳で聴く歓びを知りつくしていたのです。だからこそ子どもが読む絵本でなく、子どもに読んでやる絵本をイメージし、読んでもらいながら見るさし絵を描いたのでしょう。

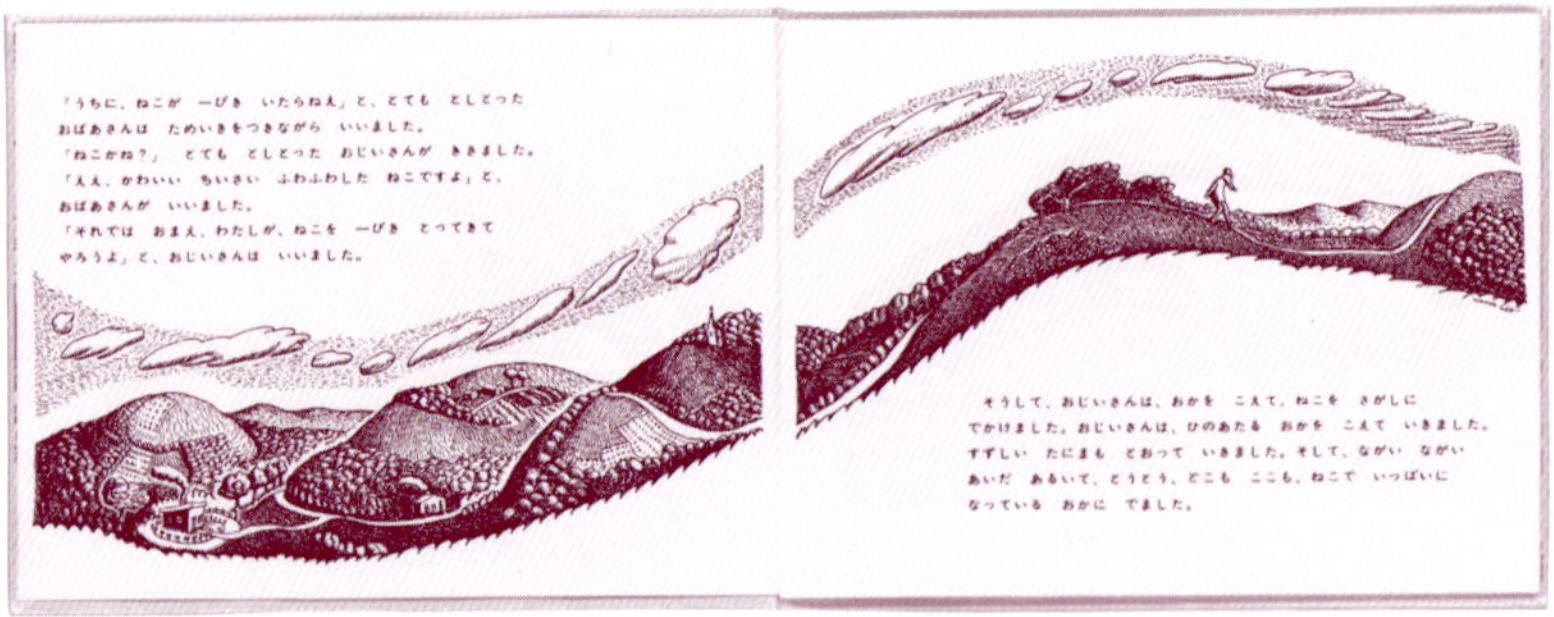


『100まんびきのねこ』(ワンダ・ガアグ文・絵 石井桃子訳)福音館書店より

上の図は、おじいさんがおばあさんのために猫を探しに出かけるところです。岡を越え、谷を通って、〝ゆくがゆくがゆくと〟という物語の道行きのところを、うねるような曲線の構図で、おじいさんの歩調に合わせるようにゆったりと、横長の画面いっぱいに展開します。

このように物語の舞台と背景をことばで語らず、一目見て絵で読みとらせることこそ、物語絵の極意です。ことばで表現しきれない細部や背景を絵で語り、文の語りと絵の語りとが一体となるところに、「絵本」は成立します。

3

左下から右上へ道行きの流れが岡の上につきるところで、手で頁をめくる〝それから〟を暗示する動きがあり、次の場面に移ります。

　すでに前の場面の文の最後に、〝とうとう、どこもここも、ねこでいっぱいになっているおかにでました。〟とありますから、読者は自分なりに猫のたくさんいる場面を想像しています。

　開けてびっくり。おじいさんの驚きはことばにされていませんが、絵でよくわかります。おじいさんの驚きは読者の驚きです。この連続性と変化の妙はみごとです。

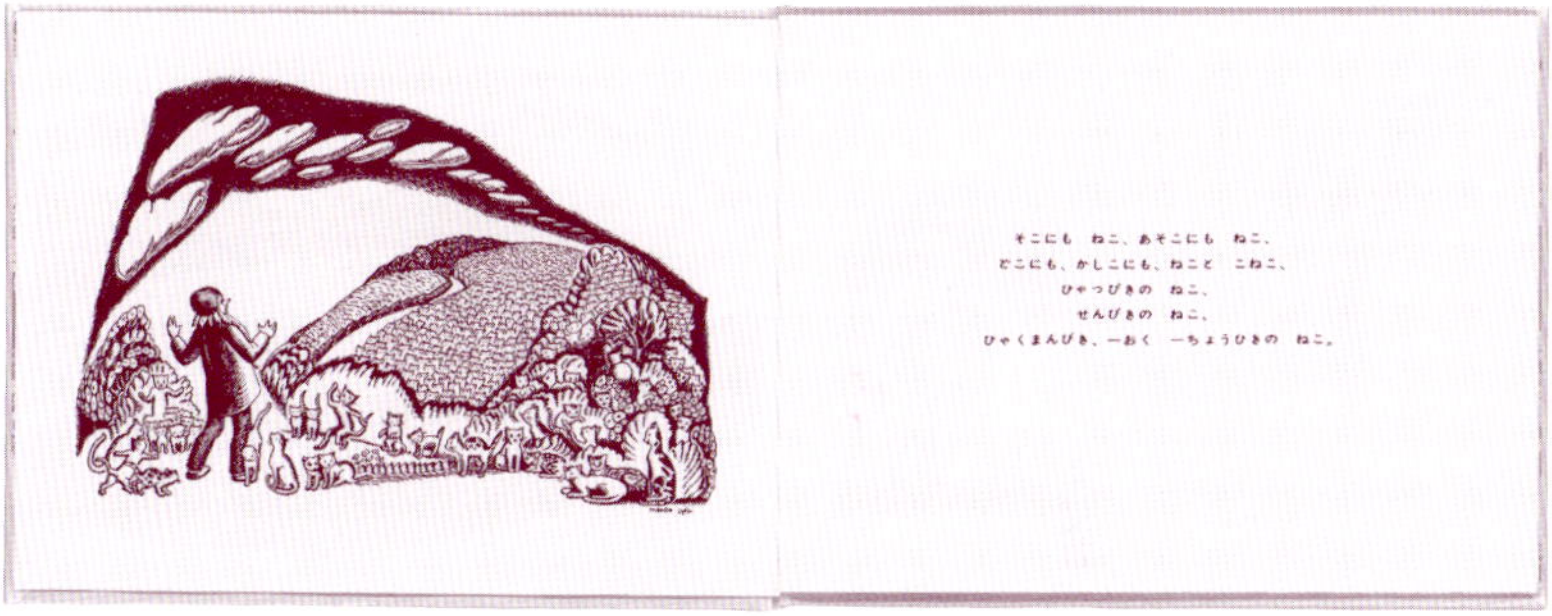
そこにも　ねこ、あそこにも　ねこ、
どこにも、かしこにも、ねこと　こねこ、
ひゃっぴきの　ねこ、
せんびきの　ねこ、
ひゃくまんびき、一おく　一ちょうひきの　ねこ。

読者の驚きは、繰り返しのことばのリズムにあおられて、興奮はいやが上にも盛りあがります。なんと百万匹、一億匹、一兆匹の猫！

　絵は奥へ奥へと盛りあがり、はるかかなたまで猫々々。まだその奥まで猫がいるようです。よくみると手前の猫たちは、様々のポーズや表情をしています。さし絵では描きこむことも大切で、描きこまれた細部がよく物語を語ります。子どもは細部に物語を読みとる名人です。

　一方、版画家としてのガアグは、余白の効果も知りつくしています。

# 4

ガアグはどの場面も頁一杯びっしり絵で埋めつくすことはせず、常に余白を残し、読者に余韻を楽しませてくれます。読者に絵をみせよう絵をみさせようという、とかく絵本のさし絵画家がおちいりがちな傾向を押さえ、読者が楽に物語の世界へはいりこめる空間を残しています。

ガアグは文が絵の犠牲になるようなことはしたくなかったのでしょう。物語が好きで、物語をほんとうに大切にしていたのです。子どもに絵をみせるよりも、お話を語りかけるものとして絵本を考えていたのではないでしょうか。

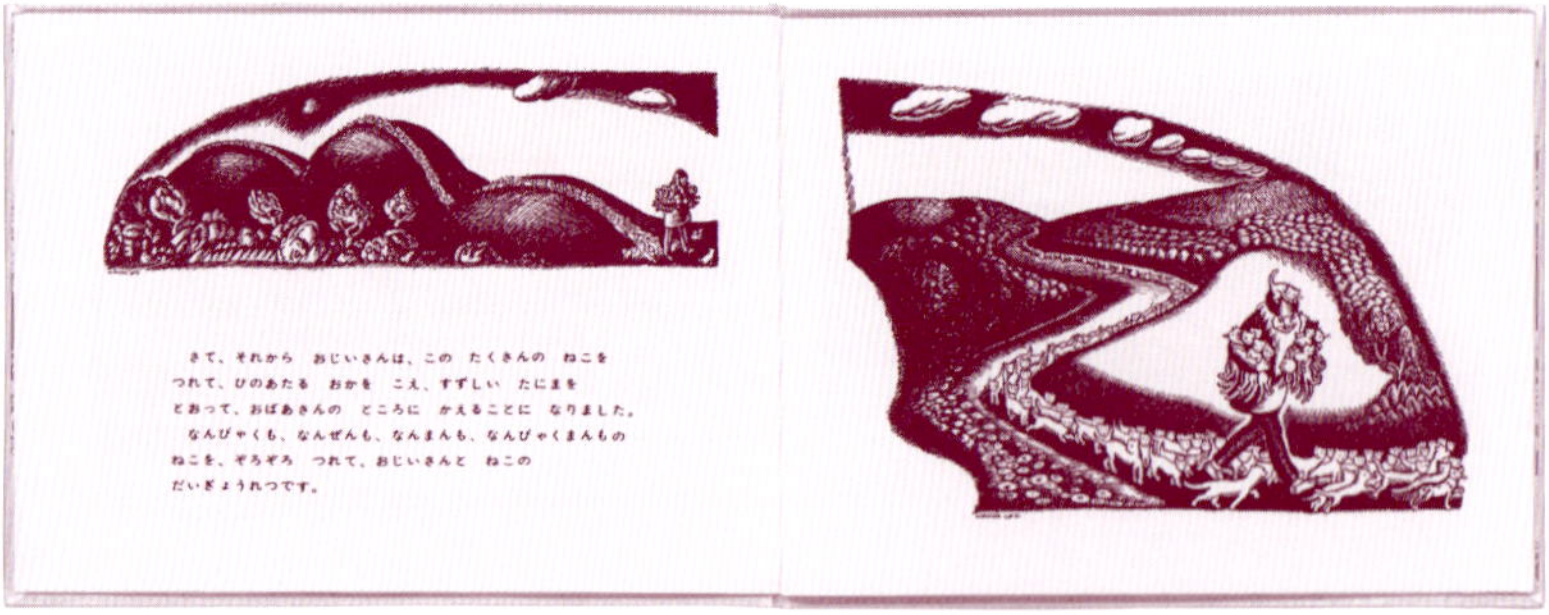

さて、それから　おじいさんは、この　たくさんの　ねこを
つれて、ひのあたる　おかを　こえ、すずしい　たにまを
とおって、おばあさんの　ところに　かえることに　なりました。
なんびゃくも、なんぜんも、なんまんも、なんびゃくまんもの
ねこを、ぞろぞろ　つれて、おじいさんと　ねこの
だいぎょうれつです。

百万匹の猫をどうしてつれて帰るのかは、子どもたちの想像もつかぬことで、とても興味をもつところです。その大行列を、岡を越え、すずしい谷間を通って、と、二つの画面にわけて語ります。この二場面は、時間と場所を異にする二つの場面が、見開きで一つながりの構成になって描かれていますが、不自然さは感じられません。

子どもは行列が大好きですから、自分も行列のなかにいるような気分で、話の流れにのって楽しみます。絵本のなかの世界に入りこめるかどうかが、絵本の評価を決定する鍵です。

5

おじいさんのつれて帰った百万匹の猫をみて、おばあさんは養い切れないといいます。そこで二人は、いちばんきれいな猫を飼うことにし、どの猫がきれいかを猫に決めさせようとすると、猫たちは大喧嘩をはじめました。

　その模様が、岡の斜面を埋めつくす猫の大さわぎの図です。限られた画面に、混乱と喧騒、動きと音と鳴き声、驚きと怖れが、無駄なく表現されています。二人があわてふためいて右上の家に逃げこむ姿に、次への展開が暗示されています。これもガアグがよく使う構図と手法で、それから次はどうなるのと期待をもたせます。


「こんなに　たくさんの　ねこに、ごはんは　やれませんよ」と、おばあさんはいいました。「この　ねこたちに、ごはんを　やっていたら、わたしたちは、びんぼうになって、うちも　なにも　なくなってしまいますよ」

「ああ、それには　きがつかなかった」と、おじいさんが　いいました。

「どうしたら　いいだろう」

　おばあさんは、しばらく　かんがえました。そして　いいました。

「わかりましたよ！　どの　ねこを　うちに　おくか、ねこたちにきめさせましょう」

「それが　いい」と、おじいさんは　いって、ねこたちに　ききました。

「おまえたちの　なかで、だれが　いちばん　きれいな　ねこだね？」

「わたしです！」　「ぼくです！」　「いいえ、わたしです！」

「ぼくが　いちばん　きれいです！」　「わたしです！」

「いいえ、ぼくです！　ぼくです！　ぼくです！」と、ひゃっぴきの　ねこ、せんびきの　ねこ、ひゃくまんびきの　ねこ、一おく　一ちょうひきの　ねこが、いいました。どの　ねこも、みんな　じぶんが　いちばん　きれいだとおもって　いたのです。

そして、ねこたちは、けんかを　はじめました。

はじめて『一〇〇まんびきのねこ』の原書を手にしたとき、こんな地味な白黒のさし絵の本が、果たして子どもの興味をひくのだろうかと不安でした。しかし石井桃子先生のかつら文庫での体験談をうかがい、繰り返し絵本を読んで奇想天外な類いのない物語のおもしろさと、過不足なくさし絵が視覚的に物語を表現し、しかも絵として深い味わいを感じさせることをしりました。

　絵本のさし絵が物語を語るのは、色彩ではなく線と形と構図であること、そして場面の連続性と変化の組合わせが、基本となる要素であることに気づきました。

6

『100まんびきのねこ』の原書

外の世界の喧騒と対照的に、家のなかは静かです。その雰囲気がはじめてみる室内の小道具や、窓から外の様子をうかがっている、二人の人物の後姿に示されています。

次の右頁の場面はやや動きがありますが、静のなかの動きで、前の騒ぎのなかの動きとは、語っている意味がちがいます。

この三つの連続し、しかも変化する画面の劇的な転換は、文の上だけでなく絵においても、物語が〝転〟から〝結〟へと移行するのが、巧みに表現されています。文の長さの処理もみごとです。

7

みようによっては百万匹の猫が、一匹だけを残して〝たべっこしてしまった〟という怖い話なのに、子どもは少しも怖がらず、残酷な印象が残らないのは不思議です。昔話の語り口のもつ特異な働きなのでしょう。

たった一匹残った、やせっぽちで争いの嫌いな子猫が、おばあさんの手塩にかけた養育で、うつくしい元気な猫になってゆくこの場面こそ、ことばではなく絵でなければ語りつくせないところがあることを、よく実証しています。見えるものを表現するのでなく、見えるように表現することも、絵本づくりの極意です。

# 8

「この　ねこは、やっぱり　とても　きれいですよ！」と、
とても　としとった　おばあさんが　いいました。
　そこで　とても　としとった　おじいさんは
「いや、この　ねこは、せかいじゅうで　いちばん　きれいな
ねこだよ。わたしには、ちゃんと　わかるんだ。だって　わたしは、
ひゃっぴきの　ねこ、
せんびきの　ねこ、
ひゃくまんびき、一おく　一ちょうひきの　ねこを
みてきたんだからねえ」と、いいました。

"And it is a very pretty cat, after
all!" said the very old woman.
"It is the most beautiful cat in the
whole world," said the very old man.
"I ought to know, for I've seen—
Hundreds of cats,
Thousands of cats,
Millions and billions and trillions of cats—
and not one was as pretty as this one."

最後の夫婦仲の良さそうな平和な二人の姿は、こころより余韻を残し、めでたしめでたしが絵になっています。こういうところに画家の人柄がでてくるので、それをみつけるのも絵本をみる楽しみです。

横長の版型で、しかもさし絵が横へと伸びて連続してゆく絵本に、タテに文字を入れることは不可能で、思い切って日本語の訳文を、絵にあわせてヨコ書きにしました。この編集の過程で、絵の動きや流れと文のレイアウトに、不即不離の関係があることをしりました。その経験から絵本の本文ヨコ書きをはじめることにしたのです。

後期の作品ですが、『ちいさいケーブルカーのメイベル』という作品があります。これを読んで、その本が出版された年代を知ったときもびっくりしました。マッカーシズムという赤狩りの最中に出ているんです。もしマッカーシーがあの本をほんとうにちゃんと読んでいたら、やり玉に上げたかもしれない。二十いくつの政治学用語に触れているんです。それがアメリカ民主主義の根幹にかかわる用語です。あの中でバートンは、サンフランシスコのケーブルカーの話に託してアメリカの民主主義とはどういうものかということを書いている。世論とか直接投票、直接参政権、そんな言葉は使っていませんが、子どもにわかるようにそれを書いている。それをマッカーシズム全盛の時代に出したという、バージニア・リー・バートンという人の勇気にびっくりした。よくこれを出したねと思いました。絵本だから問題にならなかったのかもしれません。バートンの絵本の中にはアメリカのデモクラシーのほんとうに豊かな伝統が一つ一つ感じられた。そういうことからも絵本の中には子どもの本と軽く考えてはならない深いものがあると思うようになりました。

そして編集者になったときも、一冊一冊の絵本を、その本ができた時代に置いて読んでみるということ。そしてその本をつくった作家の全作品を通して作家像を見てみるということ。そういうことにとても興味をもちました。作品研究をやるならその人の全作品の中でその作品を見るということと、その作品が生まれてきた時代背景をちゃんと調べてでなければほんとうの意味はわからない。すべての作品がそうではありませんが、でも、ファンタスティックな作品でも、背景はとっても深いものがあると思うんです。

『もりのなか』(福音館書店)

マリー・ホール・エッツの『もりのなか』(まさきるりこ訳　福音館書店)を読んだときに気がついたのは、エッツは、オランダの文化人類学者のヨハン・ホイジンガを知っていたのではないかと思った。ヨハン・ホイジンガという人は、『ホモ・ルーデンス』という名著を書いています。ホイジンガは歴史家であり、人類学者でもありました。『ホモ・ルーデンス』を読んだことがあるんですが、それがちゃんと絵本になっていると思いました。この絵本を読み解くためには『ホモ・ルーデンス』を読むととってもおもしろいと思うんです。読めば読むほど、エッツは読んでいたんじゃないだろうかと感じるほど深いかかわりをもっている。遊びというのは、どういうことなのか。人類の文化の中で遊びというのは、どういうことなのか。子どもはいつも遊びの世界の中にいるわけです。私も子どもの頃、森の中へしょっちゅう行きました。森の中へ行けばだれかがいるはずなんです。何かが起こるんです。もちろんだれもいなくて何も起こらないんですが、そういう不思議な感覚を目ざめさせるものが森の中にはある。

家の近くが京都の植物園でしたから、植物園へもぐり込む。正面から入ったりしません。お金なんかもっていないんですから。横の垣根から入るんですが、秘密の抜穴がつくってある。そこから兄弟や近所の友達と一緒にぞろぞろっと入って植物園の森の中で遊ぶわけです。植物園の人がくると、みんな一斉にパッと隠れる。見つかったらたいへんですから。そんなことをして遊びました。出るときは正門からも出るんです。でも、叱られたことがない。植物園の人は知っていたと思うんです。でもおおめに見てくださったんじゃないだろうか。入ったことのない子どもがぞろぞろっと出ていくわけですから、おかしいはずですが、子どものころはそんなことは考えない。そのスリルが味わいたいのですから。鴨川でも毎日毎日遊んでいて、その中でいろんな世界をふくらませていく体験をしました。

そしてたまたま出版社をつくることになって、生き残りの最後の手段として絵本の出版に関心を向けるようになった。私に本格的な絵本開眼をさせたくれたのが「岩波の子どもの本」というシリーズです。あの絵本を見たとき、私が知っていた絵本とはまったく違うのでびっくりしました。文章と絵とのかかわり方が非常に違っていました。そういったところから日本にはこういう絵本がないので、それ以来ずっと絵本の可能性を追い求めてきたようなものです。それが私の歩んだ道だった。

とくに外国の本を翻訳出版するようになって大きな勉強をしました。外国の本を翻訳出版するとき、一度本をばらす。全部ばらして、英語なり、ドイツ語なりのところに日本語の文章をあてはめて、それを再び絵本に構成する。一度解体して再構成する。その解体して再構成する作業の中で一つ一つの絵本の秘密みたいなもの、個々の作者の工夫の秘密、手法、発想の違いといったことをだんだん知るようになりました。これは大きな勉強です。翻訳出版というのは、ただ言葉を置き換えるだけではないので す。少なくとも絵本の場合は全部ばらしてもう一度組み立てる中で、絵本づくりの方法論みたいなものを学ぶことができました。失敗の連続だったわけですが、それでも『一〇〇まんびきのねこ』(ワンダ・ガアグ文・絵、石井桃子訳　福音館書店)を編集したとき、あれは横長の本で、どうしても縦に文章を入れることができない。レイアウトで縦に文章を入れると絵の流れとうまく合わない。そういうことで横書きで日本文を入れる以外なくて、日本ではじめて(ではないと思いますが)、思い切って横書きを採用しました。このときアメリカの絵本の製本がどれほど心を使われているかも解体してみてわかりました。どういう材料を使ってどういうふうに製本されているのか。こういう仕様にしておけば、子どもが手にしたときにこわれない。子どもが繰り返し手にしてみるということをちゃんと考えてある製本だと知りました。製本用のミシンを改良してもらったこともありますが、そういう中で外国の絵本の翻訳出版を通して新しい編集手法と製作技法を学ぶことができました。いまでも外国の本の翻訳出版というのは、絵本の編集者にとっては大切なことだと思っています。

一九六一年七月号から『こどものとも』を横長の版型で本文横書きにしました。日本の絵本を横書きにした張本人かもしれません。最初は叱られました。国語教科書の本文が縦書きなのにどうして絵本を横書きにするのかと学校の先生に叱られました。図書館の方には、こんな扱いにくい横長の本は、困るともいわれました。本屋さんからもいわれました。でも、本の形というのは、内容に応じて全部決まってくるんです。決めていくんです。こういう物語の内容であればどういう形をとれば効果的なのか。そういうことを海外の編集者は一つ一つ考えているんです。ブルーナの本が典型です。やがて一九六二年四月号から『こどものとも』を二八ページだてにして場面数を増やし、納得のいく絵本づくりができるようになりました。そのころの福音館の絵本が『おおきなかぶ』(トルストイ再話、内田莉莎子訳、佐藤忠良画)、『だいくとおにろく』(一三〇頁参照)、『かわ』(加古里子文・絵)、『ふしぎなたけのこ』(松野正子文、瀬川康男絵)、『しょうぼうじどうしゃじぷた』(渡辺茂男文、山本忠敬絵)、『ぐりとぐら』(中川李枝子文、大村百合子絵)なんです。いつかそういうことができるようになったら、その

『ラチとらいおん』
（福音館書店）

『おおきなかぶ』
（福音館書店）

『ふしぎなたけのこ』
（福音館書店）

『ジオジオのかんむり』
（福音館書店）

ときに自分の暖めていた企画をぶつけようと思ってかなりたくさんの企画を温存していました。それがちょうど表現できるページ数が得られたものですから、そのときに自分のもっている切り札をどんどん繰り出しました。可能性として考えていた企画を全部そこに投げ込んでみました。

それを海外の編集者や図書館員が認めてくださったんです。スイスの出版協会の会長が日本にいらしたとき、ご夫人がベッティナ・ヒューリマンという人で、この人は世界的な絵本のコレクターで編集者です。来日早々、数寄屋橋地下街の書店で日本の絵本を目にしたんです。彼女は訪問する国ごとに絵本を探す人です。書店でライオンの本を見つけた。『こどものとも』の『ジオジオのかんむり』(岸田衿子文、中谷千代子絵　福音館書店)なんですが、その晩、友達であった石井桃子先生に電話をして、この編集者に会いたいといったんです。それで私は自分の編集した『こどものとも』をもって会いにゆきました。自分がやった仕事を海外の人が見てちゃんとわかってくれるんだと、とっても自信になりました。そういうところから日本の絵本が海外へ紹介される一つの道が開けました。おそらく私どもの出版した絵本は、五三〇点以上海外で出ているると思います。四十以上の言葉に翻訳されています。いまは日本の絵本の質が高いということはヨーロッパでもアメリカでもアジアでも知られています。

最近になって海外の絵本を見ていていちばん大きな可能性を感じるのは、韓国の絵本です。二〇〇〇年の四月と五月に東京、そして六月に仙台で韓国の絵本の原画展をしました。国際子ども図書館の開館を記念しての催しでした。そのときに改めて韓国の絵本の質の高さを確認しました。ここ十年間ほどの韓国の絵本は、本づくりに思想があります。子どもに語り伝えるべきものをもっています。改めて私たちは学ばなければいけないのではないだろうか。表現も一つ一つほんとによく工夫されている。三十年間つきあってきたお隣の国がそんなになってきたことは、ほんとうにうれしいことですが、私たちももっともっと子どもの未来のため絵本の可能性を追い求めていかなければいけないのではないかとしみじみ感じました。

絵本の可能性を追い求めてきた一人の編集者が、どういうルーツから、どういうふうに仕事をしてきたかということをお話しました。また機会がありましたら、続きをお話しすることがあるかもしれません。ありがとうございました。

# いのちと共鳴する絵本

柳田邦男

# 大人こそ絵本を

私は児童文学や絵本について長年かかわった専門家という立場でありませんが、きょうは河合先生に声をかけられて参加させていただきました。この数年、私はふとしたことからあらためて絵本に親しみを感じ、机のまわりにいつも置くような状態になっています。そのきっかけは二つほどあります。

一つは、長年私は作家として現代人の「生と死」の問題、命の問題を現実の社会で起こる事故、災害、公害、病気、あるいは戦争、そういった厳しい状況の中でとらえた作品を書いてきました。そういう流れの中で七年前に二十五歳の息子を亡くすということがあって、しばらく呆然としている中で、ある日、久しぶりに本屋に寄りました。はっと気がついたら絵本のコーナーの前に自分が立っていたんですね。いくつかの絵本を手にとり、なにげなくめくるうち、急に子どもが幼かったころに自分が一所懸命いろんな名作を読んでやったころが蘇り、そして懐かしくなった。

ところが、それだけではなく、何か次々に新しい発見がはじまったんです。読んでやるということは、絵本の世界に自分も感情移入して、それなりの抑揚をつけた読み方をしていたわけですが、それはあくまでも子どものために読んでやるということでやっていた行為だった。いま息子が亡くなって、自分で独り絵本を読むと、新しい発見、つまり、あっ、こんな深い意味がここに語られているとか、この絵はこんなふうな意味にとれるんではないかとか、あるいはこの言葉はすごいなあ、と胸に迫ってくるものがたくさんあるんですね。そして気がついたのは、大人が自分のために読む作品としての絵本、そういう意識がとても大事なんじゃないかということでした。先ほど松居さんが子どもに読んで聴かせる絵本という視点でお話しになった。それはもちろん一番大事なことですし、読む声のトーン、あるいはその肉声、そういうもので子どもとのあいだにできる時間と空間がものすごく大事だということは、私も共通に感じますし、それもあとで話してみたいと思っているんですが、それ以前に大人自身が絵本の中にどれだけ入りきれているのか、絵本をどこまで読みこんでいるのか、あるいは絵本に自分が本当に興味を感じたり、感動したり、いろんなものをわが身の問題として感じとっているのか。それなしに子どもにいくら語りかけてもほんとうは伝わらないんじゃないかという気がするんです。

ですから私の絵本とのかかわり方、あるいは絵本論は、児童文学者や絵本の専門家の絵本論の本道からは少しはずれた脇道を歩きながら感じたり考えたりしていることを話すことになるかもしれません。その問題意識は、「人生後半に読むべき絵本」「人生に三度読むべき絵本」といったキャッチフレーズで表現できるかと思うのですが、それもまた絵本の大きな可能性を示すものではないかと思うのです。「人生に三度」とは、まず自分が子どもの時、次に自分が子どもを育てる時、そして自分が人生の後半に入った時という意味です。とくに人生の後半、老いを意識したり、病気をしたり、あるいは人生の起伏を振り返ったりするようになると、絵本から思いがけず新しい発見と言うべき深い意味を読み取ることが少なくないと思うのです。生きていくうえで一番大事なものは何かといったことが、絵本の中にすでに書かれているんですね。

# 子どもと死と絵本

一つのエピソードをご紹介します。東京の聖路加国際病院で小児科の部長をしている細谷亮太先生がエッセー集『いのちを見つめて』(岩波書店)の中でもお書きになっていることです。細谷先生の勤務する小児病棟に、あるとき急性脳症で二歳の良太君という男の子が緊急入院してきた。急性脳症というのは、インフルエンザなどの急性疾患や薬の副作用で子どもでも大人でもしばしばなるわけですが、良太君はあれよあれよという間に深昏睡状態になって脳死状態に陥っていった。お母さんはとてもショックで、また悩まれたわけです。そこで主治医ではないけれどエッセーを読んで尊敬していた細谷先生に相談されたのです。こんな状態で子どもにいつまでも治療を続けるのは、苦しませるだけではないでしょうか、と。もう一つ気になることは、八歳のお姉ちゃんの由加《ゆか》ちゃん、五歳のお兄ちゃんの康平君がいるのだけれども、弟の死をどうわからせたらいいのか。いまは由加ちゃんも康平君も何もわからないで、弟のためにおもちゃを持ってきてあげたり、「良太はいつ帰れるの」と言ったりしている。とくに康平君は「悲しいのに涙が出ないんだ」と言って、弟の状態を受け止めきれないでいる。一生に一度しか経験しない大事な弟の死を一体どう子どもにわからせたらいいのだろうかという、とてもむずかしい相談をされたんですね。

細谷先生もとても困られた。第一の子どもを苦しませるだけではないかということについては、いま深昏睡という、感覚のうえでも意識のうえでもなんにも感じなくなって、深い深い眠りに落ちている状態だから、治療を続けていることは決して良太君を苦しませることではないのですと説明してわかってもらえた。もう一つの幼い子どもにどう死を教えるか、それはとてもむずかしい問題です。細谷先生が思いついたのは、一冊の絵本でした。

聖路加国際病院の小児病棟のプレールームには二百冊ぐらい絵本が置いてあります。小児病棟は白血病など小児の慢性疾患の患者が多いので、子どもとお母さんのために、いろいろな絵本が置いてあるのです。そういう病院や小児科医院は各地にあります。それらの絵本の中には動物やおじいさんなどいろいろな形を借りて、命のことや死の

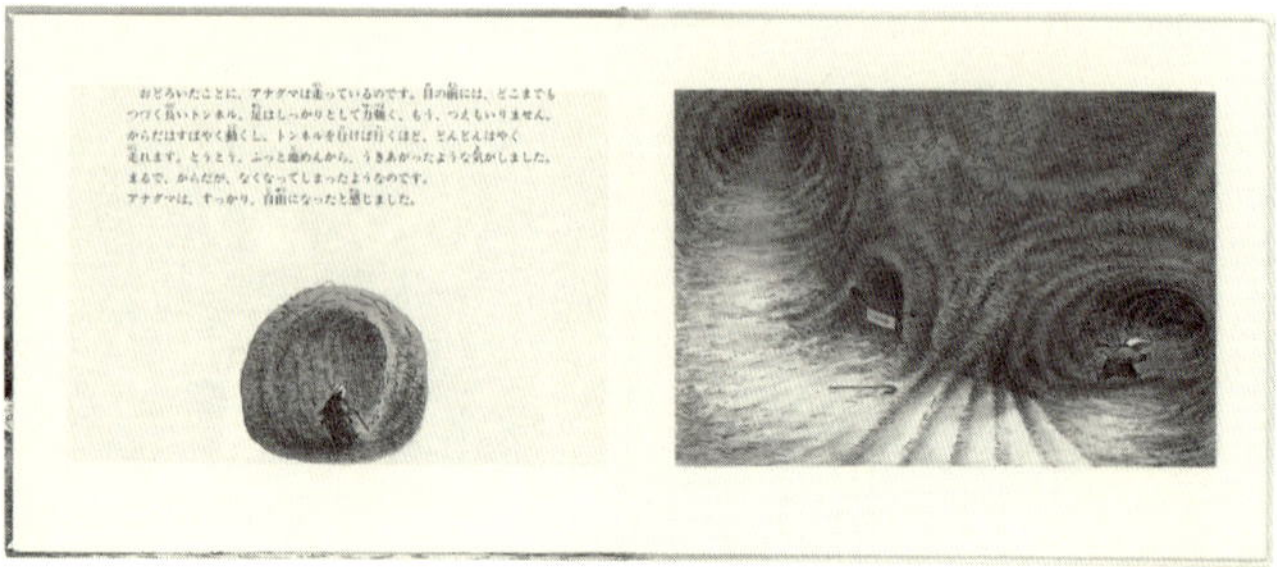


『わすれられないおくりもの』（評論社）より

こと、別れや悲しみ、そういうことを語っている作品が多いんですね。そういう絵本にはブルーの帯をかけて、お母さんたちにも読むように勧めているわけです。やがてやってくる別れの時。それをどう受け止めるか、それは親にとっても子どもにとっても避けられない問題なのです。

そうしたブルーの帯がかけてある絵本の一冊に、イギリスのスーザン・バーレイの『わすれられないおくりもの』（小川仁央訳　評論社）があった。名作なので皆さんもよくご存じの作品です。細谷先生はその絵本をもってきて、ベッドサイドで由加ちゃんと康平君を両脇に座らせて、この本を読んで聴かせてあげた。ゆっくりとページをめくりながら読み進めたのです。

これは動物の森の物語で、主人公のアナグマ君は、年老いて、この世に生きられるのも先が短いだろうということを自覚してきた。アナグマ君は、たいへん賢くて、やさしくて、村の動物たちから尊敬されていた。いろんなことを教え、みんなに慕われて、いつもみんながアナグマ君の家に集まる、そういう中心的な存在だったんですね。でも、とうとう自分の最期の日がきたのを自覚すると、その日の夜、暖炉の前で眠りに入る前に書き置きを書きます。そして眠りに入ると、夢の中で暗いトンネルの中、病み衰えて老いているものですから、杖をついてやっと歩けるという状態だったのが、不思議なことに体が軽くなって、いつの間にか宙に浮いて、トンネルの向こうの光射す出口めざして体が飛んでいく。すっかり自由になったと感じたアナグマ君はトンネルから出ると光り輝く天に向かって蝶が舞い立つように心地よく旅立っていく。

アナグマ君が、書き置きを書いたとき、どんな気持ちだったかというと、こういうふうに書いている。「アナグマは死ぬことをおそれてはいません。死んで、からだがなくなっても、心は残ることを、知っていたからです」。それは先ほど河合さんも松居さんも話されたように、人間の心や魂はいつまでも生き続ける。そのことをしっかりと語っていると思うんです。

翌日、動物たちがアナグマ君の家を訪ねてきます。そうすると書き置きを見つけて、そこには、「長いトンネルの　むこうに行くよ　さようなら」と書いてある。そして冷たい亡骸がある。みんな悲しみに沈みます。つらい冬がやってきて、冬ごもりに入る。やがて春がきて三々五々集まると、だれともなくアナグマ君の思い出話をする。その思い出話をする一つ一つが、楽しいエピソードにみちている。モグラ君は鋏の使い方を教わって村でいちばん上手になり、紙切り細工で遊ぶこともできるようになった。カエル君は、スケートを教わった。フィギアスケートがとても上手になった。キツネ君は、ネクタイの結び方を教わっておしゃれになった。こんな話をするうちにみんなの心が温かくなって、そして感謝の気持ちにみちみちてアナグマ君にお礼をいいたくなってくる。

ある春の日、モグラ君がいつも一緒に遊んだ丘の上にそういう思い出を抱いて立つと、すぐ近くにアナグマ君がいるような気がして空に向って声をかけるんです。ありがとう、アナグマさん。最後は「きっとアナグマに……聞こえたにちがいありませんよね」という言葉で終わっている。

この絵本を細谷先生がゆっくりと二人の子どもに読み聞かせていくと、子どもたちは目にいっぱい涙を浮かべて、しっかりとその絵本を見つめていたというんです。その表情を見て細谷先生は、「アナグマ君はおじいさんになって死んだけれど、もっと小さいうちに死ぬものもいるんだ。いつ死ななければならないかは誰にもわからないんだ。良太君はもうじきトンネルの向う側へぬけて、自由になると思うけど、今だって、もうぐっすり眠っていて痛くも苦しくもないんだ。わかるよね」と話した。そしたら二人とも大きくうなずいたというんです。細谷先生も涙もろい方で、自分でもたまらなくなって洗面所に駆け込んで必死になって顔を洗ったというんです。

良太君は間もなく旅立ちました。そして、数か月後、細谷先生は由加ちゃんと康平君から手紙を受け取りました。手紙には、「よくアナグマの本を読みます。その本を読むたびに、ポロポロとなみだが出て来ます。また聖路加病院で会いましょう」と書かれていたということです。

このエピソードを聞いて、いろんなことを考えさせられました。われわれは子どもの死に直面するとき、あるいは親の死に直面しても同じなんですが、そこに同席する幼い子に一体どのように話しかけたらいいんだろうか。多くの場合、子どもに死などわからない、あるいは教えようがないということでやりすごしてしまうことが多いのではないかと思います。とくに最近のように病院死や事故死が多くなるとそういう傾向が強くなっていると思うんです。子どもだって、悲しみの感情は持っているのに、それでは素直に悲しむことができないでしょう。しかし、語り方によって、伝え方によっては、たとえ八歳や六歳の子でも、兄弟が死ぬということ、つまり二度と帰らない人となるということをしっかりと理解し、悲しみや心の痛みを、うやむやのうちにどこかに封じこめることなく、しっかりと表現、表出することができるのだと思うのです。子どもだって喪失体験をすれば、大人と同じように、あるいはそれ以上にナイーブな感覚で悲しみや心の痛みを感じているはずです。とくに、良太君は苦しんではいないのだということ、死んでいくのは怖くはないんだということを、由加ちゃんと康平君が理解したのは、残される側の子どもとして大事な意味をもったと思うと、細谷先生は語っておられます。このように、ドクターが絵本という媒体を通じて語りかけたことによって、幼い姉兄も弟の死を正面から受け止められたのだと思うのです。またそういうコミュニケーションの手段としてこういう絵本があることを咄嗟に思いつくことができ、それを持ってきて両脇に子どもを座らせて読み聴かせ、しっかりと語りかけた。そういうことのできるドクターの対応は、すばらしいと思いました。

ここで注目したいのは、ドクターが絵本を読むとき、いま死にゆく二歳の男の子のベッドサイドで、八歳と六歳の子を両脇に座らせて、状況をしっかりと踏まえながら、自分の声で思いをこめ、声のトーンやページのめくり方、そこまで配慮して子どもに接していく。この時間と空間の全体がものすごく大事なことなんだろうと思うんです。この絵本を読んでごらんなさいといって渡してお医者さんが医局へ帰ってしまったら、きっと肝心なことは何も伝わらなかったし、子どもたちも読みとることはできなかったのかもしれない。そこで読んで聞かせてあげるという場と時間をもったこと、これがものすごく大事なことだと思うんです。

しかも、ドクターが『わすれられないおくりもの』をベッドサイドで読み聴かせたということは、一緒にいたご両親にとっても、大きな意味をもった。後日、お母様は神奈川県の「大和生と死を考える会」の集まりで、こう語っておられるのです。

「ありのままを子どもたちに伝えた先生の言葉は、そばで聞いていた私や夫の心にも、乾いた土にすーっと水がしみこむように、やさしくゆっくりと広がりました。私はそれまでずっと良太の肉体の回復という奇蹟を願っていました。しかし、私は私や家族が良太との別れを受けとめられるよう時間をあたえてくれていたこのことこそ奇蹟なのではないだろうかと、その時感じたのです。そして、それならば今後は良太自身にあたえられた自然な時間を大事にして、少しでも良太をかわいい姿で天国へ行かせてあげることが、良太にしてあげられるこの世で最後のプレゼントなのではないかと思ったのです」と。

## 限界状況から生まれる表現

このようなエピソードをはじめ、私が出会う様々な体験を通して、私は最近、絵本の可能性をまた新しい意味で見直しています。

きょうの私のテーマは「いのちと共鳴する絵本」ですが、いま話したことは、一人の幼い子どもが死んでいくのを、兄弟がどう受け容れるか。そこには両親も同席している。そういう中で命とか魂とか、生きることと死ぬこととか、そういう重大な問題について、単なるうわすべりの言葉だけの問題ではなくて、魂をゆさぶるような形で伝えることのできる絵本の力はすごいし、こんなすばらしいコミュニケーション手段はないなと感じます。

数か月後に細谷先生は、由加ちゃんと康平君から手紙をいただいたと、さきほど言いましたが、その手紙に、「よく『わすれられないおくりもの』を読みます。読むたびにポロポロとなみだが出て来ます」と書いてあったということは、子どもたちの心の中に何かがしっかりと刻まれたこと、良太君の心が由加ちゃんや康平君の心の中でいつまでも生き続けることを示すものではないかと思うのです。

以上は一冊の絵本を挟んで、そこに取り巻く人たちの、「生と死」に関するとらえ方なり、感じ方なりがどういうふうにわきあがってくるかということを考えさせてくれる問題でした。今度は物語をつくったり、絵を描いたりする、絵本を創作する側から見た場合について考えると、絵本というのは、心の奥底で何かがゆさぶられ、そこからふるえるように湧き出てきたもの、それを結晶のような形で表現したものではないかと思うのです。すべての絵本がそうだというわけではないのですが、私が手に取った最近の絵本からはそう感じるのです。

さきほど話したように、一人の子どもが死ぬというのは、家族にとってはほんとうにたいへんな事態です。その事態に直面する人たちの心理状態は、一種の限界状況といってもいいような緊迫した状況に置かれる。そういう緊迫した状況の中でものを感じたり、考えたりするということと、単になにげない日常の中で本を読んで知識としてものを知ることとは、まったく異質だと思います。絵本を創る人もまた同じように緊迫した状況と対峙する自分があってはじめて作品が生まれ出てくるのではないかと思います。

なぜそうなんだろうか。「世界はそうなっているのだ」と、たいへんいい言葉を河合先生のさきほどの話から教わったんですが(笑)、ここに一冊の絵本雑誌があります。

これは福音館で出している絵本月刊誌『たくさんのふしぎ』の一九九八年三月号で、アラスカに住んでおられた写真家・星野道夫さんの写真と文章で構成した号で、「クマよ」というタイトルがつけられています。星野さんがカムチャツカで亡くなられたあと、編集者と奥様が協力してつくられたとのことです。『たくさんのふしぎ』は単に子どもたちの知的好奇心に対して答えるだけのものでもないし、またよくある動物写真集というものでもない。私はこの『クマよ』を絵本としてとらえています。『クマよ』は、単にクマの生態をとらえているとか、あるいはクマの近接撮影をした貴重な写真だとか、そういう意味でここで取り上げようとしたわけではないのです。

私は星野道夫さんの生き方と作品に傾倒していて、写真集を含めて多くの著書を読んでいますが、その中から今日とくに『クマよ』を絵本という視点から取り上げた理由を少し詳しく話したいと思います。

星野さんがそもそもアラスカに行った動機がすばらしく、それは星野さんが奥行きの深い写真と言葉を発見していった背景を理解するうえで重要です。星野さんは、高校時代に一枚のアラスカの写真を見て感動し、何としてもアラスカへ行きたいと思って、アラスカのいくつかの村の村長に手紙を書いた。そうしたらある村の村長からいらっしゃいという返事がきたので、ホームステイで出かけていったのが、アラスカに触れた最初だったんですね。さらに決定的だったのは、大学時代、山岳部の親しかった先輩が遭難死して、そのショックからそれまでの日常感覚が消えてしまった。大学のキャンパスに立て看があったり、みんなわいわい部活をやったり、そういう陽気な空気に馴染めなくなってしまった。そしてアラスカへ行く決心をする。

アラスカの大学に学んで準備をした後に、動物写真家としてスタートするわけですが、やがて本格的にアラスカでの生活を始めると、当然厳しい寒さ、そして森の中の孤独な生活、さまざまなものを乗り越えていかなければならない。そこには一種の限界状況的な、緊迫した非日常的な日常がある。東京の街をぶらぶらしているのとはまったく異質な状況下にある。そういう中で出てくる星野さんの言葉が、とらえた写真と実に見事に一体化している。写真と言葉の質的なレベルがまったく同じだと思うんです。星野さんのいろいろな手記や体験記などの、作品としての完成度とか文章がどうのこうのというのではなく、文章の中に時として登場するすごい言葉がある。それが『クマよ』にもはっきり出ているのです。

　広大なアラスカの大地が氷と雪におおわれていて、その荒寥たる大自然の中央に、小さく点々と歩くクマの親子の姿をエアショットでとらえた写真。この壮大な写真に添えられた言葉が「気がついたんだ　おれたちに　同じ時間が　流れていることに」です。たった二行。だけど、すごい言葉だと思います。星野さんがこういう極北の非日常的な状況の中にいることによって、この地球上の生きとし生けるもの、それらすべてが、時間を共有した共生関係にある。その現場でしか感じられない魂の激しい揺れ動きが、この一言にあらわれていると私は感じるんです。それは実は生きとし生けるものだけではなくて、もっと、たとえば化石、氷河、雪、そういう生死を越えた存在すべてに対する共通感覚かもしれない。

　星野さんは他の著書の中で語っているの

『クマよ』(福音館書店)

ですが、アラスカを一人で探検紀行していく中で、マンモスの化石とか、そういうものの前に立ちすくんで、数千万年もの時間の流れが一瞬のように感じる。つまり地質時代も現在も「今」という瞬間の中に同居しているように感じ、マンモスの群れが走る轟々たる響きを耳にする。あるいはハクトウワシと目線が合う。ハクトウワシの目線と合った瞬間、「この瞬間の中にある永遠なる時間」という表現をするんですが、すごい表現だなと思うんです。そういう宇宙的感覚から湧き出してくるのが、「おれたちに同じ時間が流れている」という言葉なんですね。

『クマよ』をさらにめくりますと、今度は草むらに腹這いになった母グマとその背中に乗った幼い子グマを至近距離から撮った写真には、「おれとおまえははなれている。はるかな星のように、遠くはなれている」という言葉が添えられている。ここまで接近すると、さわりたくなる。仲良しになりたくなる。だけど、決してそれはできない。確かにこの宇宙の中で共生関係はあるんだけれど、しかし、そこに存在するものの個別性、あるいはどうしても相いれないもの、近づいてふれてはいけないものも一方である。星野さんにはそういう厳粛さに対する自覚がしっかりあるんだなと思うんです。

絵本として成立しているこの写真は言葉があって生きるし、また写真があって言葉が生きるという関係にあり、実に見事な編集をされているなと感じました。これほどの作品は、人工の都会でぶらぶらして、いろんな資料を調べたり、人とおしゃべりして頭をひねってみても出てこない。自分自身をきわめて非日常的な状況の中に放りこんではじめて、創造的に表現されうるものではないかと思うんです。

## 戦争・災害をどう語る

私は、戦争、災害、事故、公害、病気など、現代人が直面する厳しい状況下における人間の「生と死」の姿をドキュメンタリーな表現法で作品を書いてきたのですが、絵本というジャンルの作品は、「生と死」や「いのち」の問題について、ノンフィクションとは違った、簡潔さゆえにより鮮烈な形で表現されていると思います。たとえばたかはしひろゆき(高橋宏幸)さんという戦争体験者が書いた『チロヌップのきつね』（金の星社）という作品があります。高橋さんにとって、戦争末期近くに北方の千島列島の小さな島に、一兵士として上陸し、そこで体験したことが拭いきれない記憶になっている。

島に上陸すると、はじめは大自然が保存されている風景があった。キツネがたくさんいて、可愛い親子ギツネもいた。そういう中で自然を大事にしなければと思ったけれど、しかし、戦争が進み、上陸した兵隊たちが食糧難の中で、罠をかけたりして次々に動物たちをとらえて食糧にしてしまった。次第に環境破壊も進んでしまう。それに対するなんともいえない怒りやいらだち、あるいはこれでいいのかという後悔の念、そういうものを戦後もずっと引きずってきた。それを実話ではなく、作品化という形で一冊の絵本に表わした。わが子を守ろうとする母ギツネの愛、子のために銃撃の標的になる勇猛果敢な父ギツネの壮絶さ、すべてが死に絶えた後に島に戻ってきた老夫婦の悲しみ——。戦争体験という厳しい現実をストレートに体験記として書くのではなく、それを絵本の物語に結晶させた形で書いたわけです。

苛酷な体験を物語化して表現するという営みは、戦争の時代だけではなく、今日でもいろんな形であるわけですが、一九九五年の阪神淡路大震災のあと、さまざまな手記、体験記、ルポ、歌集、詩集、画集などが出版されました。その中に関西弁で詩を書いている現地在住の玉川侑香《ゆか》さんが文章を書き、森田美智子さんが絵を描いた『ミヨちゃん』(比良出版)という絵本がある。震災をテーマにした絵本が何冊か出版されていますが、その中の一冊です。震災で子どもたちが心に深い傷、トラウマを負い、それからどういう形で立ち直るかという問題を、あるシンボリックな形で描いた絵本です。

『ミヨちゃん』(比良出版)より

主人公はミヨちゃんという少女です。ミヨちゃんはあの震災の日、家がつぶれ、お父さんと子犬のポチが亡くなってしまう。そのあと、仮設住宅に住んだんでしょうか、そんな詳しいことは書いてありませんが、あの日からミヨちゃんは言葉を失ってしまった。そして、家がないからその年の夏も、そして二回目の夏も、ミヨちゃんも、その軒先に巣をつくることができたツバメも戻る家がない。やがてお母さんに連れられて弟と一緒に日本海側の海岸沿いのおばあちゃんの家に転居する。

地震による恐怖体験のために言語喪失をしてしまうというのは、子どものいろんな形のトラウマの一つですね。PTSD(外傷後ストレス障害)の症状はいろんな形であらわれたのですが、その一つとして言葉を話せなくなってしまった。ミヨちゃんの弟には夜電気を消すと怖がるトラウマがある。

見ず知らずの北陸で、お母さんが実家を頼って生活していたわけですが、いつまでもいるわけにいかない。神戸に帰りたい。「ツバメ、帰って来たやろか」と気になる。ある日、やっぱり神戸に帰って生活を立て直さなきゃいけないと、お母さんが決心して、「ミヨちゃん、神戸へ帰ろか」と言う。その「神戸に帰ろか」という一言で、ミヨちゃんが突然言葉で反応する。「おかあさん、神戸へ帰ろ」と。ミヨちゃんがしゃべったのです。ミヨちゃんがもう一度言う。「おかあさん　神戸へ帰ろ」。最後の頁の絵は小さな家と青い空を飛ぶツバメを描いている。その絵はなつかしい神戸の地が自分の心の中に戻ってくるという期待感を表現している。

この絵本も大事な家族の命が失われ、その中で生き残った人々の苛酷な状況と無念の思いが生み出した作品です。

## 喪失体験

ただ、こういう作品を、震災を受けなかった地域の人々がどの程度まで共感して受けとめることができるか。震災直後によく温度差という言葉で、被災地の人々とそれ以外の地域の人々との問題意識や感覚のずれが指摘されました。神戸の人たちにとってはたいへんな問題なんだけれど、大阪にくると賑やかなイルミネーションのギラギラした中で、人々がまるで震災などはよその国の出来事であるかのような顔をして歩いている。東京へくるともっと温度差が大きい。そういう温度差は年ごとに大きくなる。そういう中でどういう語り方をすれば、共感的に問題を伝えることができるのか、とてもむずかしい問題です。体験の風化という問題もからんでくる。それは戦争体験でも原爆の被爆体験でも同じです。

その意味で伊勢英子さんの『一〇〇〇の風　一〇〇〇のチェロ』(伊勢英子文・絵偕成社)という絵本に感銘を受けました。これは人々がそういう温度差を超えて喪失体験をどこまで共通のわが身の問題として、あるいは実感レベルで、理解し合えるのかという問題に対して、絵本という作品で一つの答え、可能性を示したと感じました。伊勢さんは、神戸の住民でもないし、被災者でもないんですが、震災直後、いてもたってもいられない気持ちで震災で壊れた街を歩いた。そこで目撃したこと、どうしていいかわからないような衝撃。それを絵描きとして、あるいは表現者として、どう表現したらいいのか。五年を経て、自らのいくつもの体験が交差したところで、物語が湧き出てきて、一気に作品化したのが、この絵本です。

物語は、チェロの教室に通う一人の少年が主人公です。その教室に新しい女の子が入ってきた。その女の子はむずかしい曲をペラペラひくけれど、なんだか怒ったような弾き方をする。そして、帰り道の公園で女の子に声をかけられ、あんたのチェロの音って犬がバウバウッて鳴いているみたいだねっていわれる。愛犬が死んだ悲しみの中で、愛犬に代るものとしてチェロを始めた男の子はどぎまぎするわけですが、一緒

『1000の風　1000のチェロ』(偕成社)より

に公園で弾こうと言われて、二人でチェロで小鳥の声や風の音を出し合い、だんだん仲良しになっていく。男の子が女の子に「きみ、どこからきたの」と尋ねると、女の子は小さな声で、「こうべ」と答える。

実は女の子は、震災で家がなくなり、ペットなど飼える状態でなくなったため、飼っていた小鳥たちを空に放ってあげた。そんな喪失体験の傷を背負っていたのだが、そのことをまだ男の子には話していない。

公園から出ると、大勢のチェロをかかえた人々が歩いていくのに出会い、そのあとをついていくと、大きな建物に入った。おじいさんに話を聞くと、震災復興支援のために神戸で一〇〇〇人もの人々が集まってチェロのコンサートをすることになり、その練習をしているんだというのがわかる。そこで男の子も女の子も参加しようということになって、一緒に弾き出すわけです。仲良しになったおじいさんに誘われて、また公園に入り、ベンチに並んで腰をかけると、おじいさんは実は神戸で震災にあい、音楽仲間の友人が死んでしまった。自分のチェロも家の下敷きになって壊れてしまったが、その友人が残したチェロを自分は受け継いで、震災復興支援の一〇〇〇人のチェロ・コンサートではそのチェロで弾くんだという話をする。その話を聞いて、女の子も自分の体験を話し、小鳥たちと別れた悲しみを話す。みんながそれぞれに心の中に喪失体験や心の傷を負って生きているんだということを知っていく。

いよいよ本番が近づいて神戸に全国からチェロをひく人々が集まる。絵本の文章はこう書いています。「みんな自分の影を抱いているように見えた。大切な自分の分身を」。チェロを抱えてぞくぞくと集まる人たち、チェロの姿があたかもそれぞれのチェロを弾く人たちの影、自分の分身を抱いているように見えたというんですね。これもすばらしい表現だと思うんです。そして最後に一〇〇〇人の大合奏が行われる。

最後の言葉を読みますと、「一〇〇〇のチェロが一〇〇〇のものがたりをかたっている。それでいて、ちゃんとひとつのきょくになっている。一〇〇〇のおとがひとつのこころになったんだ」。こう表現しています。先ほどいいましたように住んでいる街によって温度差が違う。そういう人々が背負っている状況の違いを超えて、みんなが心を一つにできるのか、あるいはお互いに共感的に理解し合えるのか。そういう問題を作品として書くには、作家あるいは絵描きの心の中で、創作への営みが相当洗練され結晶化されていかないとできないと思うんです。絵本の世界でもそういうことがこれからとても大事な課題になってくるのではないかと感じました。『一〇〇〇の風一〇〇〇のチェロ』の場合も、作品が生まれる背景として、一人の絵描きが壊滅した神戸の町を歩いて自分の目で見、肌で感じ、そこに立ちつくしてしまった、そこでやむにやまれぬ感情をもってしまう。だけど、その体験を直接的にただただたいへんだったよと言ったのでは、人々は、そんなのはテレビで見たとか、それがどうしたの、ということになりかねない。時間を超え、土地柄の違いを超え、お互いにもう一度改めて共通のものとして読み取り、深く考えるような絵本にするには、それが普遍性のある物語として昇華されていなければならないと思うのです。

## 子どもへ遺すメッセージ

また別なエピソードですが、最近はがんで亡くなる方が多いため、死期が近づいた時どう生きるかということが現代的なテーマになっていまして、そういう問題に私もかなりかかわっています。そういう中で問われるのは、自分はほかのだれでもない自分として生きたのか、自分がこの世に生きた証はなんなのか。自分の人生は一体なんだったのか。思い残しのないような最後の日々はどうすればいいのか。さまざまな困難な問題が問われるわけです。そういう中で闘病体験記を書いたり、日記を書いたり、歌を詠んだり、さまざまな表現によって自分の人生の締めくくりをするという方が多くなっています。

ここに持ってきた一冊の絵本『ポケットのなかのプレゼント』(柳澤恵美文・久保田明子絵　ラ・テール出版局)は、東京で、まだ若くして乳がんになり、八歳と五歳のお子さんを残して亡くなられた柳澤恵美さんの遺作です。ご主人の柳澤徹さんは開業医をなさっている。がんが進行して、おそらくあと一年ぐらいしか人生の持ち時間はないだろうとわかった時、自分がこの世に生きた証をどうすればつかめるのか、そして子どもたちにどういう形でメッセージを残せば母親としての使命感を果たせるのか、と悩まれた。考えたすえに思いついたのが、絵を描く友達と一緒に絵本をつくることでした。それは、うさぎの村の若い夫婦と子どもの物語です。うさぎの村では、赤ちゃんができると、お母さんが子どもにボレロ風のジャケットを手作りでつくってあげて、そのポケットに毎年誕生日にプレゼントをしていくならわしがある。

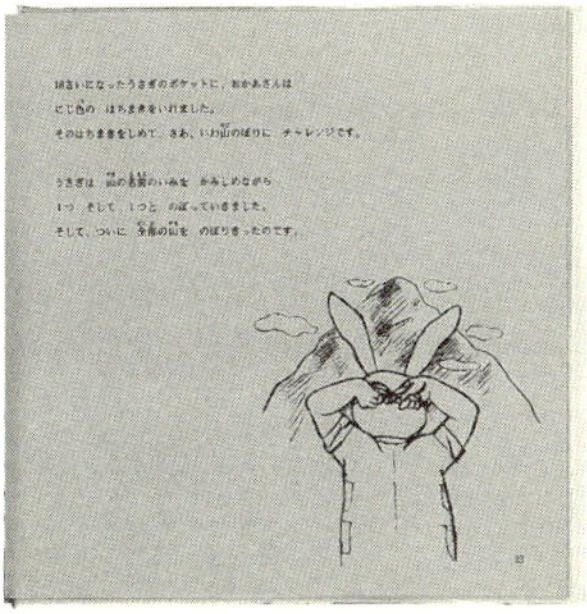

『ポケットのなかのプレゼント』(ラ・テール出版局)より

一歳のときは歯ブラシを贈って、虫歯にならないようにしないと健康を損ないますよ、すくすく育つためには歯をしっかり守って食べ物をしっかり嚙んで食べましょうと教えます。二歳になると、タオルをプレゼントして、顔をきれいにしましょう、清潔にしましょうと教える。そうやって毎年、年相応のプレゼントを贈っていくわけです。五歳になれば五歳なりに知識欲が出て、好奇心も出てくるから、虫メガネをプレゼントして、これでしっかり草花や昆虫などを観察しなさいと教える。やがて十歳になり十五歳になり、大きくなっていきますと、その年齢に応じて贈りものも考えていく。十八歳の誕生日には、鉢巻きをプレゼントしました。この鉢巻きでうさぎの村にある七つの岩山全部に自分の力で登りなさいと教えるんです。七つの岩山とは、勇気の岩山、楽しみの岩山、忍耐の岩山、礼儀の岩山、信念の岩山、信仰の岩山、愛の岩山です。これらの岩山を子どもは立派に登りきります。そして、十九歳の誕生日には、今度はリュックサックを贈りました。これからはお母さんがプレゼントするものはもうありません。このリュックサックには自分で大事なものを探して自分で詰めていきなさいと教えるんですね。

ご主人からも話を伺ったんですが、母親としてまだ八歳、五歳という子を残して旅立つ。子どもたちを成人式まで自分の手で育てることができない。その思い残しをなくすために、子どもたちに身につけてほしいことをこういう形でメッセージとして遺そうとした。それと同時に自分は一体この世に何を遺せたのか、自分はどのように生きたのか、その証としてもこの絵本をつくりたかったということでした。こうして柳澤さんは二つの目的を達成したのだと、ご主人は話しておられました。また、この絵本ができあがった時、柳澤さんは何かをなし遂げたような、そんな様子になられて、静かに旅立っていかれたというんですね。子どもたちも、絵本をつくっていく過程をずっと見ていましたし、内容もよく理解できたので、母親が旅立つ時には、「お母さん、ありがとう」と、感謝の言葉を述べたということです。ご主人は、子どもを育てるに当たっての母親の理想を書きすぎたかもしれないけど、きっと子どもたちはそれを受け止めてくれたにちがいないと話しておられました。

これも一人の主婦が自らの死という一種の限界状況に直面する中で、心の中から湧き上がってきたやむにやまれぬ心情、それを絵本という形にして子どもに残すメッセージにしたと言うことができると思うのです。

このように絵本は、簡潔にして、かつもっとも心の奥底にひびく形で、いのちの在り処を表現するジャンルとして現代的な意味をもっていると思うのです。それゆえに私たちが「生と死」の問題や「いのち」の問題を深く考えようとする時に、すばらしい可能性を発揮する分野ではないかと私は感じています。そんなわけで大人こそ、まさにいま絵本に親しみ、そういう中から自分なりの読み取り方や発見をしていく時間を持つべきではないかと思うのです

いまＩＴ革命ということで、パソコンや携帯電話を通じていろんな情報を得たり、あるいはおもしろくなければどんどん画面を送って、間というものが失われていく、こういう情報化時代の中で、ほんとうに魂をゆさぶられるような時間と空間を得られる媒体はなんだろうかというと、最高のものは絵本かもしれない。もちろん音楽とか絵画などの芸術はすばらしいけれど、それと同時に絵本もまたいのちと響き合う表現手段として、これから残していかなければいけないし、いろんな形でどんどん書き継がれていかなければならないものだと思います。

討議

# 絵本の力

河合隼雄
松居 直
柳田邦男

## 大人にとって絵本とは

**河合**　今日のテーマは「絵本の力」、また「絵本の可能性」ということですが、僕が絵本を取り上げたいと思ったのにはいろいろな意味があって、まず子供のほうからいうと、日本の場合、子供に対する知識の詰め込みということがどうしても強過ぎて、知識をたくさん早く詰め込まれた者が勝ちみたいに思っているのだけれども、子供時代というのはそういうことではなくて、もっと情緒的なものとか感性的なものとか、そういうことのほうが大事なのです。その点では絵本というのはまさにそのとおりの素晴らしいものなので、もっと日本の子供たちに見てほしい、読んでほしいという気持ちが強いということがあるわけです。

これは松居さんに後でお聞きしたいのですが、僕の見ている限りでは、日本の絵本というのは世界の中でもすごく水準が高いのではないでしょうか。というのは、たとえば心理学や哲学の本で日本人が書いたものがアメリカとかヨーロッパへ翻訳して売れるものがあるかと言いだしたら、なかなかないじゃないかということになる。ところが絵本はたくさん訳されていて、僕も外国へ行ったら面白いから児童書を売っているところへぶらっと見に入りますが、たくさん日本の絵本があって、そのときに感じるんです。日本人の可能性という問題もすごくこのことに関わっていると思うんです。

それからもうひとつは、絵本が大人にとって非常に大事なものだということです。これはいま子供について言ったこととも関係してきますが、どうしても日本の大人というのは追いつけ追い越せでやっているから、本来的な豊かさがないようなところがある。そういう点で僕はビジネスマンに絵本を読めとよく言っているのですが、そんなふうに読者層という点でも絵本はまだまだ拡がっていくし、その意味が非常に大きい。

それは、もうひとつは、いまＩＴ革命ということがあるわけですが、その考え方のもとには自分が対象の外側に立って自分が操作する、ということがあります。そうすると何でも片手でできるというか、そういうことばかりが求められて、それがいま世の中にあふれている。それに対して絵本というのは片手ではできないのです。本当に自分がめくって、自分がその中に入って、自分という存在がそれに関わって見ていくものですから。そこに字でなく絵もあるわけで、そういう意味でも絵本は現代的な意味が高いし、新しい可能性もあるのではないか。絵本をめぐってそんなことを考えたいと思ったわけなんです。

**松居**　最初に河合さんがおっしゃった知識の詰め込みということ、私はそれにもう最初から反発したんです。私の編集方針というのは、ひとつは、絵本は子供に読ませる本ではない、大人が子供に読んでやる本だということと、もうひとつは、役に立つためになる本はつくらないということがはっきりと当初からありました。じゃあ、どうして科学の本をつくるのかとよく言われるのですが、科学の本も知識と情報を伝えるためのものではなくて、子供がびっくりすればいいんだ、子供が驚いたり感心したり、へえーッと新発見したりすればいい、ということなんです。子供の気持ちが動かないのでは絵本の意味はないと思うんです。

でも今の教育は頭に詰め込むことが中心で、そういうことで育ったすごく成績優秀な人がいます。けれども、そうしたとても優秀な人と話している時、なにか気持ちが動かないんですね。表情がないし、話し方がとても平板だし、そしてこの人は何を感じているのだろうかというのがわからない。頭の中ではなく心の中にどんな言葉があるのかと、私は思うんです。

そういうことを考えると、絵本で子供たちの気持ちが動けばいちばんいい。要は楽しいか面白いかということだと思います。私はそれにこだわり続けているんです。

**柳田**　いま河合さんも松居さんも大人が読むものとしての絵本という点を非常に重視されているのですが、私の場合、おくればせながら最近絵本を再発見してのめり込んでいる、楽しんでいるという、その真只中にいるんです。絵本に投資する本代というのがこの頃だんだんふくらんでいて、絵本ってけっこう重いから、一度に十冊ぐらい買って袋でさげて電車で帰ると、肩が痛くなる(笑)。でもやっぱりその楽しさには代えられない重さなんですね。

私の中での絵本の面白さを分類すると二つあるんです。一つは昔、子どもに聴かせてやった本をもう一度読んで、懐かしく楽しみながらその意味とか感動を再発見して、そのことに自分が心を揺さぶられるというのと、もう一つは、この二十年余りの新作に触れることによって、こんなにも絵本の世界というのは次々に創作が行われいい作品が提供されているんだというのを見て驚くということですね。この二十年余り、なんと自分はこのすばらしい世界を見過ごして無駄な人生を過ごしてきたのかとさえ思ってしまう。子どもが小学生になって以後の、私の三十代半ば以降から五十代半ば過ぎまでの二十年間ぐらいが絵本との接触のブランクになっていて、それですごく人生を損したなと思います。そのあいだ片方でもう少しじっくりと絵本を楽しみながら仕事をしてきたら、自分の表現活動の中身はかなり違ったものになっていたと思います。そんな意味で私は現役のビジネスマンにしろ主婦層にしろ、あるいは人生後半に入った人たちにしろ、絵本が魂の肥し、あるいは魂の糧になる大きな存在だと思っているんです。

私はノンフィクションの作品や評論をずっと書いてきたのですが、ノンフィクションの作品を書いていると言葉数がやたら多くなって、一所懸命理屈をつけたり解釈したり、考えれば考えるほど字数が多くなって何万語という言葉を費やすのですが、時折ふっと、それによって人生のほんとうにいちばん大事なものや魂の部分にどこまで触れえたのかと思ってしまうんです。人間の魂レベルのコミュニケーションにどこまで関わり合えるのかということになると、自分でぎょっとするほど反省するところが多い。

それに比べて、絵本というのは本当に少ない言葉や絵の数、標準的にいえば、十数枚から二十枚ちょっとぐらいの絵の数、そこに添えられたほんのわずかな言葉で、なにかいちばん大事なこと、人生について、命について、生きることについて、喜びや感動について、それがズンズンと伝わってくる表現ができる。これはすごい表現手段だしコミュニケーション手段だと思います。そのあたりのことを私は今もういっぺん根源的に考え直しているところなんです。

**河合**　それはもうおっしゃるとおりで、柳田さんのような方がそういうことを発言されるから非常に心強いです。僕は大人の本を読まないほうの人間だから、子供の本を読んでは喜んでたのだけど(笑)。

**柳田**　最近電車の中で絵本を読んでいますと、怪訝な顔で覗かれたりするんです。もう髪の毛が白くなった男がしきりに電車の中で絵本を読み込んでいたりすると。

**松居**　写真に撮りたいな（笑）。

## 伝統文化の中の絵本

**河合**　さっき言いましたけれど、外国に相当翻訳されているでしょう。どのくらい出ているんですか。

**松居**　絵本だけというのはわかりませんが、絵本が主ですけど、日本の子供の本の海外への翻訳は三千点を超えていると思います。福音館書店だけでも五百三十点ぐらい翻訳されていますし、言語の数にしますと四十言語以上です。モルドバ語やカタロニア語にもなっていますし、アジアの言語などもかなりありますし、ほんとにたくさんの言葉で翻訳されています。

**柳田**　二十数年前になるんですが、『なつのあさ』（谷内こうた文・絵　至光社）という作品が絵本の国際コンクールでグランプリ（ボローニャ国際児童図書展絵画賞）を取ったことがありますね。それはちょうど子供に絵本を読んで聴かせてやっていた頃で、たまたまその賞を受ける前にそれを店頭で見て、素晴らしい清々しいイメージだったんです。それを一所懸命子供に読み聴かせ、子供も好きだったんですが、それが国際賞を受けたということを知ってびっくりしたんです。

というのは、僕は絵本の潮流、あるいは絵本の国際的な動向は何も知らないで、子供との関係で手にしていただけなんですが、そのうちに新聞で受賞の記事を読んで、えっ、日本の絵本って国際コンクールで受賞するようなレベルにあるのかと驚きました。でも、その時あらためて読み直してみたら、あの『なつのあさ』という絵本はほんとに簡明な言葉と澄み切った透明感のある絵によって、心の清々しさとか、朝の空気、あるいは遠くの山間《やまあい》に汽車を見る感動とか、そういう子供の心の世界の透明感がすごくよく表現されている。それは日本の風土や風景や文化や、そんなことを超えて、どこの国に行こうと、地球上のみんなが共通に持っている心の風景を描いている。絵本は言語を超えた、あるいは国境を越えた、音楽に近いようなコミュニケーション手段なんだということをそのとき気がついたんです。

**松居**　日本の絵本はかなり国際的な賞をもらっています。世界絵本原画展（ブラチスラバ・ビエンナーレ）というのを一九六七年以来スロバキアで開催していますが、そこで毎回賞をもらっているのは日本です。第一回のときに瀬川康男さんの『ふしぎなたけのこ』という本でグランプリをもらって、ヨーロッパの方はみんなびっくりされた。ひとつは意表をつかれたという感じですね。アジアにそんなものがあるとは思っていなかったのが、見たら水準が非常に高い。

一九六〇年代にフランクフルトの国際図書展などにいきますと、「日本は敗戦後たかだか二十年しか経っていないのに、どうしてこんなに水準の高い絵本をつくれるんだ」とよく言われたんです。国際水準の絵本が出版されている。私はそのとき、日本の絵本の伝統というのを説明しなければいけなかった。「日本の絵本づくりは、敗戦後じゃありませんよ。十二世紀からです」と。十二世紀って中世ですからね。

**河合** 絵巻ですか？

**松居** そうです。絵巻に奈良絵本、江戸時代の版本にいたるまで、いま詳しくはお話できませんが、伝統がものすごくある。そして日本人は物語絵が好きなんです。

**河合** そうですね。ナントカ草子とか、みんなそうですね。

**松居**　絵で物語を表現するというのは『鳥獣戯画』がそうですね。『鳥獣戯画』の複製を見せて、「これ、十二世紀のものです」というと、みんなびっくりする。

**河合**　なるほど考えたら、あちらは宗教画以外ないですね。

**松居**　そうした伝統は日本人の得意な分野です。たまたまそれが近代的な絵本という形になって出てきたわけなんです。

**河合**　そういえば、すごい伝統を持っている。

**松居**　ヨーロッパでも中世に絵入りの聖書が、聖書写本というのがありますけれども、物語絵とはちょっと違います。

**柳田**　最近クラシックで「カルミナ・ブラーナ」がよく歌われるんですが、二十世紀ドイツの作曲家オルフの作った合唱曲「カルミナ・ブラーナ」のもともとの種は、ヨーロッパ中世の修道院の修道士たちが歌っていた、聖歌とは違う若干規律を破った、恋を謳歌する歌の歌詞なんですが、その中世時代の本が保存されていて、その本には写本的な絵が添えられている。ただ絵巻物ではなく、挿画といったところでしょうか。

**松居**　ヨーロッパにも絵巻的なものがあるとしたら、フランスのバイユーの美術館にある戦争の絵巻のようなものがそれにあたるかもしれません。絵巻というより刺繍ですね、あれは。

**柳田**　ヨーロッパの中世から近世にかけて、絵画が宗教画でも神話画でもなく、絵で普通の人間の営みの物語性を表現するようになったのは、十六世紀のブリューゲルあたりからでしょうか。十九世紀前半のゴヤ、ドラクロワ、ジェリコーになるとスペクタクルな物語性を持った絵が描かれるようになったわけですね。

**河合**　福音館で絵巻物を出版したらどうですか。

**松居**　複製ですか。

**河合**　いや、新しい絵巻。つまり絵本じゃなくて絵巻。

**松居**　それは製本が大変だな(笑)。

**河合**　ある小学校か中学校の社会の先生で、歴史を教えるときに、子供たちに絵巻を作らせるんです。それなりにみんな絵巻を作ってきて、すごく面白いのを見たことがあります。僕らが子供の頃、やりませんでしたか。自己流漫画みたいなのを紙でグルグル巻いて……。

**松居**　やりました。横長の紙で作りました。

**河合**　あれ、製本が大変ですか、絵巻は。高くつきますか。

**松居**　そうですね、手仕事になりますでしょ。機械化できないですから、ちょっと大変だと思います。でも私は『こどものとも』を編集しておりまして、初めはB５の縦版だったんです。それを六四号からB５の横版にしたんです。それは明らかに絵巻物をイメージしていました。ちょうど絵巻は、手で巻いて拡げていきますと、その見るスペースと、『こどものとも』を横に見開きで目にすると、ほぼ比率が合うんです。

**河合**　それで考えられたんですか。

## 文字と絵をどう構成するか

**松居**　ここにちょっと持ってきましたけれど、この『だいくとおにろく』（松居直再話、赤羽末吉画　福音館書店）は明らかにそれを意図したんです。初めから絵巻を作るつもりでした。開けると、見開きになりますでしょ。ちょうど絵巻を見るとき、もう

『だいくとおにろく』(福音館書店)より

少し対角線で大きくなりますけど、こういう空間ができるんです。それで絵本を横にしたかったんです。

**河合**　まさに絵巻ですね。

**松居**　絵巻というのは、連続性があって場面変化があって、そのつながりがものすごく重要ですから、絵本とまったく同じ手法なんです。同時表現といいますか、異時同図法とか、そういう絵巻に使ってある手法をいくらでも使えるんです。

**柳田**　絵本は横長の版型が多いのは、そういう点で非常に有利ですよね。

**松居**　ただし横長にしますとテキストを横書きにしなければ絵の流れに合わないので、これが大問題なんです。私が日本の絵本を横書きにした張本人かもしれません。

**柳田**　時代を三十年ぐらい先取りしてたんですね。

**松居**　最初叱られました。国語の教科書が縦書きなのにどうして絵本を横書きにするのかと、それはもう学校の先生からすごく批判されましたが、今は定着しました。そのとき私は「だって、理科の教科書は横書きでしょ。社会科の教科書も横書きじゃないですか」と言ったものです。横長にして、絵が効果的に動くようになりました。

**柳田**　絵本を見ていて、一ページずつ絵が展開していって、ときどき見開きで絵が一枚ばあっとあると、突然読んでいた世界が広がって、それはもう感動的ですね。

**松居**　それはほとんど絵巻に使われている手法です。『信貴山縁起絵巻』なんか、みごとなものです。たまたま私は少年時代から絵巻が好きだったから、それでこういうふうな形で生かしたんです。これは外国の方が見ると非常に興味をひくらしい。『だいくとおにろく』はたしかいちばん最初に、一九六三年にアメリカで英語版が出ました。

**柳田**　最近京都の雨の高山寺を訪ねて、『鳥獣戯画』を見たんですが、あそこにあるのはもちろん模写ですけれど、でも実物大の模写ですから、本物と紛うような感じのもので、やっぱり感動しますね。

**松居**　よくできてますよ。言葉がなくても物語がわかるんですから。本物は東京の国立博物館にあります。私は全巻見せてもらったことがあります。ただ、あれはずっと拡げて見るものではなくて、やっぱり巻いていくものなんですよね。そこに時間とドラマがある。

**河合**　それがなんとも言えんですね。だから僕は子供がものすごく喜ぶだろうと思って、ちょっと高くついても絵巻を作られたら、案外幼稚園なんかにあったら、喜ぶんじゃないか。

**松居**　そうですね。

**柳田**　自分で子供に作らせるのも面白いかもしれない。

**河合**　子供の絵巻コンクールかなんかあってもいいですね。

**柳田**　富山市の郊外に大島町というところがあって、町長さんが絵本が好きで、小さな町なのに絵本館をつくりました。素晴らしい絵本館で、去年行きました。円形に本棚を配置してあって、「いのち」とか「どうぶつ」とか、子供たちが本を見つけやすいようにいろいろ分類してあるんです。別の部屋にいきますと、手作り絵本の部屋があって、子供たちが自分で絵本を描いている、そういうワーキンググルームがあるんです。そういうところで立体絵本とか、普通の画用紙で描く絵とか、子供たちは勝手にやっているんですが、絵巻物をああいうところでやるといいかな、こんど大島町絵本館に言ってみます。

**河合**　そこで絵巻コンクールでもやればいいですね。

**松居**　たしかにそういうコンクールができるかもしれません。

**柳田**　今でも手作り絵本のコンクールをやってますから。

**河合**　絵本はいま親子で一緒に作ったり、作っている人が増えてきました。楽しいですよね、これ、絵と文字でつくって。絵を描けなくてもコラージュでもできるわけです。

**柳田**　私が知っている絵描きさんで、写経用の小さい、パタパタ開いていく、和紙で作った冊子がありますが、それをスケッチ帳に使っている人がいるんです。たとえば描きたい風景がばあっと横に広いときには、パタパタ開いて何ページにもわたって続けて描いていける。子供にああいうスケッチ帳を渡すと、知らず知らず連続性のある絵を描くようになるかもしれませんね。

**河合**　その形で小さい絵を描いたって大丈夫だし。

**柳田**　その広がりの面白さというのは、パタパタと開いてみて、そして気がついたら自分で全部つないでいるという、そういう発見をさせるというのは面白い。

**松居**　絵本というのはバリア・フリーなんです。さっきの年齢のこともそうで子供から大人まで、言葉と絵で非常に幅のある自在な世界だと思います。

『はるにれ』(福音館書店)

**河合**　『生命潮流』という本を書いたライエル・ワトソンと僕は対談したんです。すごく勘のいい人で、日本の相撲が大好きなんですが、「あなたはすごく勘がいいから、日本の本でも絶対わかると思う」といって、写真の絵本の『はるにれ』(柿崎一馬写真　福音館書店)をあげたんです。彼はすごく感激してました。「やっぱり日本人はすごい。こういう絵本をつくるというのはすごい」と。

**松居**　あれは社内でも大変もめたんです。最終的には私は「『こどものとも』でやればよい」ということで編集したんですけれど……。あの写真フィルムを見たときに僕は花鳥風月を感じたんです。雪月花。四季になっていて、写真が非常に抒情的なので、これは日本人なら大人でも子供でもわかるということで、『こどものとも』で出したんです。

**河合**　僕はあれはよくビジネスマンに勧めているんです、「会議中でも読めますから」と言って(笑)。

**松居**　初めは写真だけの絵本というのはなかなか定着しませんでした。字がないのはおかしいと。

**河合**　そうそう、『はるにれ』は字が一つもなしですからね。

## 言葉の重要性

**松居**　私は編集者の立場で絵本づくりに関わる時に言葉に大変こだわるほうなんです。絵本は言葉と絵とでつくられている。『はるにれ』は確かにテキストはないんですが、絵は言葉でもあります、絵を私たちは言葉で読み取るんです。絵があるというのは言葉があるということでもある。

もちろんテキストは明らかに言葉でできています。ストーリーを一応まず文字でちゃんと完成して、それを絵にしていくというのが私の初期の絵本の製作作法だったのです。

それがすこしずつ多様な発想になり、たとえば、この絵描きさんに描いていただいたら面白いのができるだろうと思うと、まずその画風にあう物語を探す、あるいは作家に創作していただく。で、その文章と絵との関係を自分の中でかなりデッサンやスケッチをしたり、構成をしたりして時間をかけてつくっていきます。この原稿とこの原画で、子供の中にどういう物語世界ができるかということを具体的に考えるわけです。それが私の仕事だったんです。この文章とこの絵と、ここが合わないとか物足りないとか、そういうときにはもう一度直していただくとかして、まだ絵本にはなってないない前ですが、その絵本を見たときに子供が自分でいきいきと動く絵本の世界をどうつくるかを予測します。

ですから、確かに手にとるのはモノとしての絵本ですが、これを読んでもらって（だから読んでもらわないとだめなんですが）、この文章を耳から聴き、まったく同時に絵を見ますね、絵を読みます。絵本は読んでもらうと、まったく同時にこの二つの言葉の世界を読み取れるんです。そうして子供が自分の中に物語の世界をつくるんです。ですから絵本そのものは手がかりであって、子供が自分でつくる世界がほんとうの絵本、それこそが絵本体験だと考えています。子供でも大人でも自分で読むとこの関係がズレてしまいます。

そのとき子供の中に見えている物語の世界はいきいきと動いているんです。この〝おにろく〟も動いているんです。ですから絵本を編集をする人が、よほど緻密に子どもの感性で計算しないといけない。それができないと、子供の中に物語ができないんです。そういうことから私は耳で聴く文章にものすごくこだわってきたんです。

この『だいくとおにろく』もそうなんですが、この文章はたまたま私が書きました。

一度自分で原稿を書いて、テープに吹き込んでみて、それを聴いてどういうイメージができるかを確かめます。その上で画家の赤羽末吉先生にお願いしました。そのときにはもうすでに場面割はちゃんとできているんです。

**柳田**　すごい編集者ですね。

**松居**　いや、それで読者からお金をいただいているんですから。

**河合**　もうひとつは、相手が子供だということがよけい大変ですね。大人というのは誤魔化しやすいんだけど、子供は誤魔化せないから。

**松居**　子供は物語に書いてある言葉のとおりについてきます。大人だと、ちょっと舌足らずでも、たぶんこういうことを言いたかったのだろうと読みこんでくれる。子供は読み取る一方ですからそのままついてきてイメージができなくなると物語の外へ出てしまう。リリアン・スミスが『児童文学論』の中で、「子供の心は客観的である」と言っていますが、本当に子供は客観的によく読み取るんです。たとえばずっと語られてきた文章が、あるところで説明的な文章になったりしていると、そこでもう子供の緊張感は崩れてしまう。ですから子供の物語は眼に見えるように書くことが鉄則でとても難しいです。

**河合**　そう言われると、やっぱり昔話なんていうのはうまいことできてますね。洗われて洗われて残ってきているわけだから。

**松居**　ええ。説明的なものはないんです。語りなんです。

**柳田**　日本は、昔話を絵本化するという点では世界に冠たるものがあるのじゃないでしょうか。

**松居**　得意な分野でしょうね。ロシアには昔話を絵本にしているのがわりあい多いです、『てぶくろ』なんか傑作だと思います。グリムの物語はロシアや日本の昔話に比べると、絵にしにくいかもしれません。ちょっと違います。イギリスの物語も絵本にするのは難しいですね。

**河合**　『だいくとおにろく』というのは、子供はすごく好きな話ですよ。

**松居**　私は「岩波少年文庫」の『日本民話選』が出たときに子供に毎日毎日読んでやりました。そうしたら『かにむかし』がいちばん面白いんです。その次が『だいくとおにろく』だった。ほんとに子供はよく聴きます。ただ、これは失敗なのですが、

「だいくとおにろく」という書名は間違いだったと思います。だって「おにろく」という名前を当てるのに、それを表紙に書いたんですよ。「だいくとおに」ぐらいにしておけばよかった。

**河合**　なるほどね。しかし昔話の題は「だいくとおにろく」ですね。

**松居**　そうです。これは実はヨーロッパの伝承からきたといわれているんです。

**河合**　いや、そんなことはないです。似たのが他にあるとすぐそういうことを言う人がいるんですけど、もっと独立しているものだと思っていいと思います。グリムの「ルンペルシュティルツヘン」とか、同じ類ですけど……。

**松居**　イギリスの「トム・テット・トット」も面白いです。

**河合**　だから別に、よそにあるから日本のものでないということではなくて、僕はもっと独立に類似の物語はどんどんできていると思いますけど。

**松居**　昔話はほんとにそうですね、あちこちに似たのがたくさんあります。これは絵巻風にしたかったものですから、この本をつくる前に赤羽末吉先生と絵巻物のことを随分と話し合いました。かなり繰り返し絵巻の特色を私がわかる範囲でご説明したりしてつくりました。

**河合**　赤羽先生の絵本というのはものすごくたくさんありますね。

**松居**　そうですね。「鬼の赤羽」といわれていましたからね、鬼の絵本が多いんですよ。「僕は借金取りみたいだね」って、赤羽先生おっしゃってました（笑）。

**柳田**　宮沢賢治の『水仙月の四日』（福音館書店）、赤羽さんの絵もいいですね。

『水仙月の四日』（福音館書店）

**松居**　あれも「水仙月の四日」をぜひああいう形にしてみたかったんです。でも宮沢賢治は難しいです。いわゆる絵本にはなりません。ところどころ挿絵を入れていくということはできますけれども。

**河合**　そうでしょうね。あれは絵本になる作品じゃないから。挿絵ならつけられますけれどね。

松居　こういう絵本ですと、原稿用紙八枚ぐらいなんです。十枚だとちょっと多い。

柳田　八枚でそれだけのものが表現できる。すごいショッキングな話で……(笑)。

河合　ほんとですね。

松居　グリムでも短いですよ。十枚の昔話というのは相当長いです。

柳田　確かにエッセー的にとらえると、エッセーで十枚といったら長いですからね。五、六枚が適量です。

## 魂の現実を表現する媒体として

河合　人間の心の深層というのと絵本はいちばん関わりが深いのじゃないでしょうか。だから臨床心理のわれわれの仲間でも絵本が好きな人はすごく多いです。それからよくクライアントの人が自分の好きな本を持ってこられます。それはまさに心との問題に関わっている。イメージというのは、それだけで物語を含んでいるし、人間の心の深いところは事実としては語れないことが多いわけですから、そうすると、どうしても物語るか、イメージになるかしかない。そういう意味でも僕は大人が絵本を見るというのはほんとに意味が大きいと思う。さっき柳田さんが「魂」という言葉を使われたけれど、魂の現実がいちばん表現しやすい媒体かもしれませんね。

**松居**　空間の中に遊びがあるのじゃないですか、絵本という空間は、人間の生活の余白みたいなものかもしれません。

**柳田**　われわれは絵画を見るときに、時間をかけてその前にじっと佇んでいればいるほど、一枚の絵の中に描きこまれたドラマなり人間の悲しみや喜びやいろいろなものに深く入っていけるわけですね。その絵の力というのが絵本の場合は、わずかな言葉をそこに添えることによって、とても強い形で表現され、子供の心にも入ってくるのじゃないかと思うんです。絵画の語りかけてくるものを、巨大な一枚の絵ではなくて、もっと日常的に手に取るサイズと、低コストで提供してくれるのが絵本だというとらえ方もできると思うのです。

私は、たとえばパリに行くとルーブルなりオルセーに入って、一枚の絵の前でぼうっと一時間ぐらい過ごすのが好きなんです。ワシントンに行ったらナショナル・ギャラリー・オブ・アーツに行って、好きな絵の前に佇む。現代絵画よりは、近世の巨大画の時代ですね、ゴヤとか、ドラクロワとか。ドラクロワは大好きなんです。ゴヤやドラクロワの絵の迫力は、実物を見ないと絶対伝わってこないですね。

**松居** ヨーロッパでは物語絵が発達しなかったのはおそらく偶像破壊を教えるキリスト教の影響だと思います。それがルネサンスで少したがが緩んで、いろいろなスタイルの絵が出てきて、あとはもう一気に開花していきますから。イスラームは今でも偶像を描きませんが、ペルシャには物語絵の伝統があります。ペルシャはミニアチュールも発達して、物語絵の伝統はとても豊かなんです。すばらしい挿絵入りの物語本があります。他のイスラームはけっして図像を描きませんから、美しい装飾文様でコーランだけ書いてある。

**河合** そうですね。一神教を徹底すればそうなるはずですね。物語のほうでいえば、なぜ日本に物語があるのにヨーロッパにはなかったかというのは、いまおっしゃったように、キリスト教では唯一の神が全部持っているわけだから、聖書に物語があるのに、人間がつくるなどということは考えられなかったんでしょう。あるいは物語をつくるのは神に対する冒瀆で、だからボッカチオぐらいにならないとできてこないですね。

**松居**　ルネサンスですね。十五世紀ぐらいから。

**河合**　そのかわり、あれだけ強い神様に対抗しだしたから、近代になると爆発してきてヨーロッパはすごいわけだけどね。伝統という点では、日本はすごい伝統を持っていますね。

**松居**　たしかに豊かな伝統を持ってました。ロシアはイコンという形で唯一図像にしますけれども、あれは描き方が決まっているし、修道僧しか描けません。私は好きですけど、イコンは。

**河合**　素晴らしいです。

**柳田**　絵本の面白さは、絵本で描かれる絵というのが非常にシュールなんですね。シュールなんだけれども、それがシュールレアリスムとあらたまっていうのともちょっと違うので面白いんですね。大人でも子供でも別にシュールと思わないで、それを自然に受け入れられる、そういう絵なんだろうと思うんです。それは昔の物語を描いてもそうだし、現代の創作絵本でも同じだと思うんです。なかにはほんとに、まさにシュールリアリスム的な絵もあって、それはそれで面白いんですね。たとえば最近ですと、現代ドイツのアクセル・ハッケが物語を書き、ミヒャエル・ゾーヴァが絵を描いた『ちいさなちいさな王様』(講談社)がすごく好きなんです。大人のための童話といった作品ですけれど、そのゾーヴァの絵がすごくシュールなんです。

ちいさなちいさな王様の国では、王様をはじめ人々はみな生まれた時すでに大きくて、多くの知識と経験と社会的な義務があって、いろんなことをやらなければいけないんです。ところが年月とともにだんだん体が小さくなっていって、いろんな社会的な責任や義務が少なくなっていって、人生後半に入ると、もう自分が好きなように遊んでいればいいようになる。原っぱで雲を見てファンタジーを想像したり、あるいは自分がチェスの人形と同じぐらいの大きさになってしまってチェス台で遊んだり、そういうふうになって、やがて芥子粒のように小さくなって、ある日塵のようになって、どこかに見えなくなってしまう。そうすると、そこで一緒にいる者が「あれ、あの人どこへ行ったんだろう」というような人生の終わり方になる。

その王様が言うには、人間の世界って変だ、というんです。なんで生まれたときにいっぱいファンタジーを持ち、自分の好きな空想の世界でいっぱい楽しみを持っているのに、年が増えるにつれてそれを捨て去って、だんだん狭い専門の仕事や義理人情に縛られていって、最後は悲惨な死を迎えるなんて、人間は全然幸せでない。われわれ「ちいさなちいさな王様」の国のほうが素晴らしいという。その物語に添えた絵が、まさにちいさな王様の、たとえばチェス台の上にいる王冠を被った小人のような王様だったり、背広のポケットから首を出している王様だったり、自分の体よりも大きな砂糖をコーヒーカップに上から落とそうとしている王様だったり、とても素晴らしいんです。その中で私がいちばん好きなのは、公園のベンチで燦々と降り注ぐ光の中で雲を見て、ファンタジーの世界にひたっている小さな小人のような王様。それはまさに私にとっての理想の人生後半像ですよ。

実はゾーヴァは物語に絵をつけるだけでなくて、自分の絵だけでストーリー性のない絵本をつくっているんです。『ゾーヴァの箱舟』(BL出版)という絵本ですが、出版社では「動物寓話画集」とうたっている。それは文字どおりシュールそのものの絵なんです。嵐の海で船の上にいろいろな動物が乗っている。それはジェリコーの『メデューズ号の筏』のような雰囲気でもあるんですが、その動物たちは一頭一頭それぞれに神妙な表情をしている。あるいは高速道路を豚が走っていたり、電線の上に豚がいたり、とても奇妙で愉快な絵なんです。全然ストーリー性がなくて、ずっと頁をめくっていくと、こちらがものすごく想像力を掻き立てられる。その意外性にドキドキしてしまう。

絵本というのは物語性があるのが基本なのだろうと思うんですが、絵だけで何かの世界を構成して、不思議なファンタジーの世界をこちらに喚び起こさせてくれる一種の画集のような絵本というのも十分ありうるのだと思いました。

**松居**　物語絵本というのは絵本の中の一つのジャンルだと思うんです。科学的な絵本もあるし、詩のような絵本もあるし、いまおっしゃったように、ストーリーがなくても広がっていく。

**河合**　そういう点でいうと、安野光雅さんの絵本なんか外国人は喜ぶのじゃないですか。

**松居**　そうですね。安野さんを絵本の世界へ結びつけた編集者は僕ですけれども、『ふしぎなえ』(安野光雅絵　福音館書店)をフランクフルトのブックフェアへ持っていきましたときに、オランダとベルギーの出版社がすぐにスタンドへ来ました。エッシャーのような絵本があるという噂がたったらしくて、「見せてほしい」と言われて見せて、「あっ、エッシャーのまねじゃないよ、これは。確かに似ているけど、発想が違う。これは面白いね」と言って彼らが帰ったことを覚えています。

ああいうのは日本にはルーツはあまりないと思います。確かにエッシャーに触発されて安野さんはお描きになったわけですから。「絵本が描きたい」とおっしゃるから、安野さんに会いに行ったら、ぱっとエッシャーの画集をお見せになった。僕はエッシャーは初めてだったんです。でもエッシャーの画集を見ていて、「安野さん、こういうのが描きたいんでしょ」と言ったら、「そうだ」とおっしゃるんです。「じゃあ、お描きになればいいじゃないですか」と、それがきっかけだったんです。ただ、安野さんの明星学園での美術の授業を僕は知っていました、子供たちの先生でしたから。ほんとに面白い授業なんです。どんどん子供を引っぱっていくんです。ですからこの人は、ただの教師じゃないなとは思っていたんです。今ものすごい人気はありますよ、海外で。

**河合** そうでしょう、僕もそう思います。

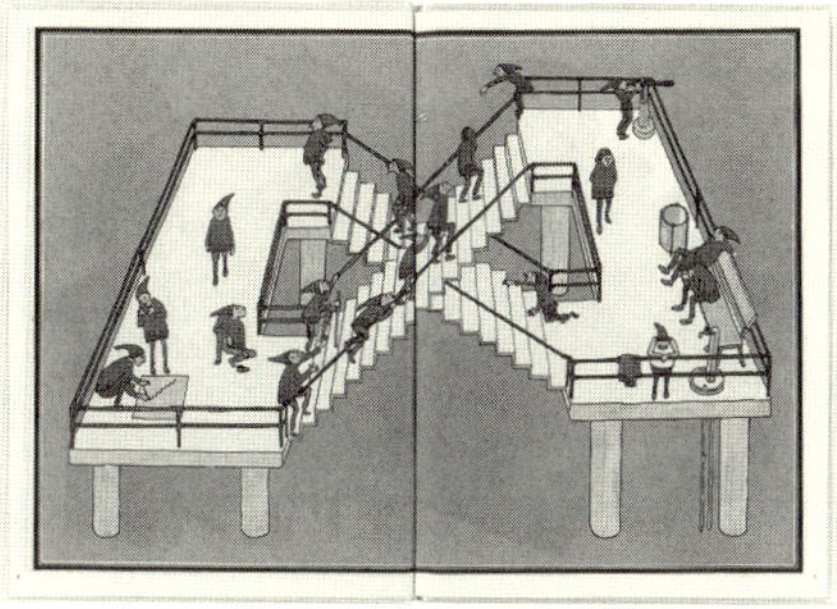

『ふしぎなえ』(福音館書店)より

## 写真による絵本

**柳田** 最近私は面白い発見をしたんです。それは同じテーマの絵本と写真ドキュメントの読み比べなんです。ガブリエル・バンサンの『老夫婦』(BL出版)という、フランスのシャンソン歌手ジャック・ブレルの歌詞にあわせて描いた絵本があります。人生も終わろうとする老夫婦が二人支え合って生きるんだけれども、そのシャンソンの歌詞は、いずれはどちらかが先に旅立つことになる、最後には一人残されて、と歌う。そういうシャンソンにあわせて描いた絵がものすごく寂しいんです。片方がいなくなったあとの空白になった肘掛け椅子があったりして、その絵一枚の中から人生の喪失感というものがものすごく伝わってくるんです。これはもう大人の絵本ですね。

バンサンという人は、孤独感とか寂寥感というものが絶えず漂っている画家なんですが、最近もうひとつ、バンサンの描いた「くまのアーネストおじさん」シリーズの一冊に『とおいひのうた』(もりひさし訳 BL出版)というのがあります。この『とおいひのうた』という絵本は、寂しい心の持ち主であるアーネストおじさんが若い小さいネズミ君のセレスティーヌと一緒に街を歩いていて、くまのヴァイオリン弾きが街角で弾いているのを耳にした途端にたまらなくなって、そばに寄っていく。子供に「あっちで待っていて」と言っておいて、聴き惚れて、涙を流す。なんでそこで涙を流すのか、読者にはまだわからない。でもそこで、ただ「ルーマニアの歌ですね」と聞くと、ヴァイオリン弾きが「ルーマニアです。はい」と言うんです。アーネストはお金を全部ヴァイオリン弾きにあげてしまう。

そのあと、自分でもヴァイオリンを弾くアーネストは家に帰って、セレスティーヌのことも面倒みず、部屋の片付けもしないで、終日ヴァイオリンを弾いて涙を流している。とうとうセレスティーヌが苛立ってきて噛みついたりする。でもセレスティーヌがくたびれ果てて眠ってしまうと、アーネストはセレスティーヌを抱いて、「きっと君に、なぜ私がこの曲に心をひかれるのか話してあげる」と言う。その独り言の中で、あれは自分が幼かった頃、母がいつも自分をねかせるために歌ってくれた歌のメロディーだ、と語り、「それをおまえに明日聞かせてあげる。これからいろいろと話して聞かせてあげる」というので終わるんです。

『とおいひのうた』(BL出版)より

『老夫婦』という作品で描いた、あのえも言われぬ寂寥感と違って、こちらにあるのは、年老いて心に甦ってくる幼き日の懐かしさとか、母の懐に抱かれる温もりという終わり方なんです。バンサンの代表作である『アンジュール　ある犬の物語』(BL出版)も、最後にあの反逆犬のアンジュールが孤独な少年と出会って、少年の胸に喉をすり寄せて、それこそ「クンクン」という声が聴こえるぐらい甘えるシーンで終わる。実は、アンジュールはフランス語で「ある日」「ある一日」という意味ですから、アンジュールは犬の名前というより、「疎外された孤独な犬の一日」という意味をこめたタイトルなのかもしれません。

バンサンは、孤独とか疎外という二十世紀文学の主題を絵本で表現しながら、究極において求めていたものは、愛のある懐しさ、あるいは懐しい無条件の愛だったのだろうと思うんです。『老夫婦』は底なしの寂しさで終わっているのだけれど、『とおいひのうた』の中ではそれで終わらないで、母の胎内への回帰のような情感にたどり着く。アンジュールという犬が喉を少年にすり寄せたやすらぎの表現を、アーネストの場合は懐しい母の歌をしのばせるヴァイオリンの響きで表現している。

子供が主役でそこに老人がいるというのでなく、老人を主人公にした絵本がけっこう出ていて、いろいろ探したらあるんですね。人が老いて死を迎える姿をテーマにして、絵本のように構成した写真集も出ている。アメリカのマーク・ジュリーとダン・ジュリーという同じ家族の二人のフォト・ジャーナリストが祖父の生涯を記録した写真集『おじいちゃん』（重兼裕子訳、春秋社）は、一人の人間がアメリカの片田舎で生まれ育ち、そして年老いて死ぬ瞬間まで、ほんとに老衰で干からびて死んでいくところまで写真に記録し、最後はベッドが空になっているシーンで終わる。赤ちゃんの頃の記念写真から死ぬまで描かれているんです。人間の生老病死のありのままをリアルにとらえているのですが、それでいて見る者に拒否感を抱かせず、人間のかけがえのない生涯と尊厳ある死とは何かということが、いとおしいまでに伝わってくる。

『おじいちゃん』（春秋社）

報道写真家、大塚敦子さんがアメリカでガン告知を受けたおばあさんの家にホームステイして介護しながら記録した『さよなら エルマおばあさん』（大塚敦子文・写真 小学館）という写真絵本もある。可愛がっていた猫とエルマおばあさんの姿をとらえる中で、さきほどの『おじいちゃん』と同じようなテーマを追いかけている。ここでもおばあさんが年老いて、ガンが進行して衰えて死ぬ瞬間まで写真におさめて、そのあとに、おばあさんのいなくなったベッドで猫が「どこへ行ったの」と探すシーンやたくさんの人たちが集まってエルマおばあさんの思い出を語り合うシーンがあり、そして一緒にみんなで食事をした庭の木作りの食卓の上で猫がひとりポツンと座っているシーンで終わる。死は怖いものでなく、いのちあるものの自然の営みとして生老病死の流れの中で受け容れるべきものだということが、やわらかく伝わってくる。

これらの写真絵本と言うべき写真ドキュメントのテーマは、バンサンの絵本や、あるいは他の人による老人をテーマにした絵本などと同じ質で伝わってくるんです。ですから写真集を絵本作家の目で記録し構成したら、もっといろいろな分野でいい作品ができるのではないかと期待しているんです。

**松居**　写真にはまだまだ可能性はあると思いますね。だいぶ写真の絵本も出版しましたけれども、子供の文化の中での絵本というのを考えてきたものですから、バンサンなんかのこともよく知ってましたけれども、それはどこかでなされればいいと思って。

**柳田**　福音館路線ではないかもしれませんね。私が最近手に取るような絵本ばかりを子どもが読みふけったら、その子はうつになってしまうかもしれない。

**松居**　いろいろな出版社の特色があるほうがいいと思います。

## 絵本にどう関わるか

**柳田**　私の場合は、まもなく六十五を迎えようとしている年齢的な心の動きの中で、目に入り手に取るものというのが、まさに自分にとっての絵本であり、文学作品を読み直すと同じような意味で絵本を読み直すという動機から出ていますので、目に入るものが、子供に読んで聴かせようというよりも先に、自分が読みたい、自分が心震えるようなものに触れたいという意識がありますね。そ

『さよなら　エルマおばあさん』
（小学館）

の発想で選んでいくと、かなり偏ってくるんです。だから子供のための絵本という意味からいうと、僕などはずれたところで接しているのかもしれない。

**松居** でも絵本という分野ではつながりはちゃんとあると思います。

**河合** なにも絵本は子供のためにのみあるのではなくて、万人のためにある。ほんとに僕は絵本をそう思っているんです。

**柳田** それで私が去年(二〇〇〇年)、ある雑誌の「二十一世紀に残したい絵本」というアンケートの中に、福音館の『たくさんのふしぎ』の中の星野道夫さんの『クマよ』を入れたんです。二十世紀にたくさんつくられた絵本の中で十冊選ぶ中にあえてこれを、絵本のひとつの新しい可能性を示すものという意味で加えたんです。これは星野さん自身が構成したわけではないのですが、ここで選ばれた絵と言葉の波長がなんとみごとに合っていることかと思います。さきほど松居さんがおっしゃったように、片方に絵があり、片方に言葉なり文章があって、それらの波長がほんとに一体になって、完全な一曲を構成するという意味で、これはすごい傑作だと思ったのです。この壮大なガイアの中での生命の認識と同時に、自分と他者、そしてひとつひとつのいのちの存在の認識が同時にそこで語られている。これはある意味で詩の世界だし、ある意味で哲学的な世界だし、ある意味で宗教的な世界ですが、それが子供向けの『たくさんのふしぎ』という、サイエンスを面白く楽しませるという絵本雑誌の中に、こんなすごい形で入っているというので、私はもう仰天したんです。これはほんとうの意味で、詩も音楽も哲学も入っている絵本として成立している。

今、私は『クマよ』の世界を解釈して言語化しているわけですが、子供は必ずしも言語化する必要はなくて、なんとなくこのアラスカという大地のすごさとか、熊の愛しさとか、そういうものを自分なりに感じればいいと思うんです。そこに語られた言葉はとても意味が深いんですが、それが子供の耳に入り、どこまでそれが咀嚼されるかわからなくても、これらの言葉の響きは詩のような響きとして胸におさまり、大人が深読みするほど子供が解釈できなくてもいいんだろうと思うんです。例えば「けれど、おまえは離れている、遥かな星のように遠く離れている」という言葉でも、その言葉の響きのままで、まさにさっきおっしゃったようにそれをぱっと感じるだけでいいんだろうと思う。

ただそれを一度子供の心の中に伝えておくと、その子供が人生の歩みのどこかでもう一度『クマよ』を再発見して懐しくなり、読み直したときに、すごい発見をするかもしれない。そういう種を蒔いておくような意味でも、絵本というのはとても大きな存在だと思うんです。

**松居** ただ問題は、今は子供たちの言葉の体験があまりにも貧しい。耳でちゃんと言葉を受け止めるということ、声の言葉を受け止めていませんでしょ。機械から出てくる言葉、私はそれは音だと思っているんですが、そういう体験はたくさんあるけれど、人間が向き合う中で声でちゃんと語られる体験が非常に貧しいんです。だからこそ今大人が子供に語らないといけない。

早くから字を読むということは私はあまり賛成ではないんです。文字というのは大変限られたものですし、本を読むというのはその言葉の中に一人で入っていくことですが、読んでもらうというのは語る人と聴く人が共にいますから、それで私は人と人が共に居る体験として絵本を読んでやってほしいと思うんです。共にいるという、いちばん大きな人間的体験を子供の時にして、そして耳からちゃんと言葉を聴いて、言葉の世界に自由自在に入り込んでいく、そういう力を持っている子供が文字を読むという技術をマスターすると読書ができる。今は文字を読む技術だけ教えるんです。だから読書ができない。

今、二〇〇〇年十月の統計によると高校生でも読書率は四一%です。ひと月に一冊も本を読まない高校生が六割いる。中学生が五七%ぐらい。ですから文字を読むということはできるのだけれども、言葉の世界に入りこめないんです。だから気持ちの伝わる言葉を耳で聴くところからもう一度ずっと積み上げていかないといけない。それと言葉というのは人と人とを繋ぐものだという、その体験も小さい時にゆたかにしておいてほしいと思うんです。

**河合** そういう体験があるから字を読むというのと、字から本に入るのと全然違いますね。必要なことは字で見ようと、それこそマニュアルなんかを読むようなことばかりになってしまって、本を読むということができなくなるんですね。

**松居** 本というのは言葉の世界ですから、そこへ入っていけない。スーッと文字の表面を滑っているんじゃないかなと思うことが、今の大人や子供たちの本の読み方にはありますね。

**柳田**　それは五、六歳から七、八歳ぐらいの時が最初の通過関門かなという気がするんです。その頃にどういう接し方をするのか、その頃に親がどのように読み聴かせをしてやったのかというのがとても大事なような気がする。

**松居**　学校でも先生が物語を読んでやってほしいんです。教える教師と語る教師は意味がちがいます。

## 絵本体験の重要性

**柳田**　私にとって本への親しみというのは二度決定的な体験があって、最初のは小学校一年の時に急性腎盂炎で三学期いっぱい休んで、自宅で寝ていたんです。当時は戦争中でテレビもなく、家で寝ているだけだったので退屈なものだから、近所の友達から本を借りて、毎日一冊、ときには三冊ぐらい読み漁っていた。それを三か月近くやったわけですからすごい量読んだと思うんです。子供の本なんてあまりない時代だから、面白い本は何回も何回も読んだわけで、それでも『小公子』とか『三銃士』『クオレ』などの名作ものはありました。そういう数々の物語に触れたことによって、物語の面白さにどっぷり浸かってしまった。

その次が小学校六年の時で、二学期から三学期にかけて、昭和二十三年から二十四年の初めにかけてですが、クラスの先生が「君たちはもう小学校はこれで終わりなのだから、今のうちに大事な本に触れておきなさい」と言って、午後になると授業をやらないで、毎日、おが屑ストーブのまわりに子供を集めて、名作ものを片っ端から読んでくれたのです。その先生は男の先生なんだけれど情感たっぷりで、悲しい場面にくると涙を流してオロオロ声で読むんです。腕白児童もみんな引き込まれて、シーンとなって耳を傾ける。普段の授業の時はざわざわしている子でも先生の朗読に集中して、みんな物語の世界の主人公に一体化し、感情も同一化して聴き入った。その体験というのがもうひとつの大事な読書体験でした。

当時は戦後の貧しい時代でしたから、私は小学校の五、六年の頃は、手内職を手伝ったりして小遣いがたまると、自分でも本を買いに行って読むという習慣ができていました。それでも買えるのは、月に一冊か二冊程度でしたし、自分で働いて得たお金で買ったものでもありましたから、何度も読み返していた。本に対する飢餓感があった。そういう中で先生が毎日次々に名作を読んでくださるので、一作一作が胸にずんずんと入ってきましたね。そういう体験があったということが、私のその後を決定してしまったような気がする。物語を語るということを、今の学校の先生はほとんどやらないのではないでしょうか。

**河合**　やはりそれはあまりにも映像に頼り過ぎるからでしょう。テレビとかビデオとか、便利なものがあるから、あれをやらせておいたら楽だしね、見せておけばいいし。生きた人間がするのはテレビとちがうということを先生が知らないとだめですね。そうでないと、「私のように下手に読んだってだめです。テレビでよっぽどいいのをやってますから」なんてことになる。

傑作なのは、民話の収集に行くと、おじいさんやおばあさんたちは「わたしらは話を知りません」という。「話を聞いたことあるでしょう」とさらにたずねると、「いやいや、もう正しいのはテレビでやってますから」っていうんです。「自分たちはおじいさんやおばあさんが知っているのをいちばん聴きたいんだ」といって聴きだすと、おじいさんやおばあさんが元気になってくるそうです。自分の話を聴いてくれる人がいるというので、だんだん元気になってこられるそうですよ。だから、もっとこれから高齢者が増えるから、われわれも頑張らねばいかんですな、読み聴かせに。

**松居** ただ、小さい時に物語を耳で聴いた体験がないと語れないですよね。ストーリーテリングとはちょっと違いますけれども、上手下手はともかく、小さい時に昔話を耳から聴いた体験がないと、語るということができない。

**河合** なるほど、そうですか。僕はその点、得したな。僕は兄貴がいましたから、兄がみんなに読んでくれるというか、僕らが「読んで、読んで」と頼むわけで、煩いけど兄貴は読んでくれるわけです。それで読んでいるうちに悪戯して、違う話を勝手につくって読んだりするわけで、どうもおかしいななんて思ったりして、そういうふうなことをよくやった。

**松居** 耳から聴く言葉の体験というのは、言葉の体験ではいちばん大切なことなんですが、それが今ほんとに貧しくなりました。

**河合**　もう小さい時からテレビを見ているわけでしょう。

**柳田**　去年の夏、信州の小さな絵本館に寄ったんです。そうしたら絵本の原画を展示をしてある部屋の真ん中のベンチで、お母さんが小学生ぐらいの子を三人、両脇に座らせて、原画が周囲に展示されている絵本を手に取って一所懸命読んで聴かせている。子供たちはほんとにお母さんにまつわりつくようにして耳を傾けているんです。私は、いいなあって、これがほんとうなんだよなと思いましたね。絵本の原画展で、ずっとその絵本の原画があって、そこでその絵本を手に取って、子供たちはまわりにある原画のインパクトを受けながら、そして物語をお母さんの声で聴いている。

**松居**　それは子供たちは一生涯忘れないと思うな。

**柳田**　最近各地を歩いて気づいたのですが、読み聴かせ運動というのが各地に広まっているようですね。ボランティアの女性の方などを中心に、児童館とかいろいろなところでやっている。これはすごくいいことだと思うんですが、それだけでなくて、やはり家庭の中で親が子に読んで聴かせるというのがいちばん大事なことだと思いますね。

**松居**　基本的には家庭です。もちろん保育園とか幼稚園とか、文庫とか、いろんなグループで読んでやることも、聴くことともとてもいいと思いますけれども、やっぱりお母さんに読んでもらうとか、お父さんに読んでもらうというのが……。

**河合**　欧米ではわりに父親が子供を寝かすのに読むでしょう。あれが相当伝統がありますね。特にヨーロッパなどはご飯の後片付けは奥さんのほうがやられて、子供を寝かすのは父親の役割で、そのときに絵本を読んでやるというのが多いですね。

**松居**　日本ではそういう時間に父親がいないのです。

**河合**　ほんとにそうですね。

**柳田**　でも私は子育ての頃、早目に帰れた日や休みの日なんかには、夜になると子供に絵本を読んでやってました。そうすると、好きな絵本をなんべんでも読まされて、こっちがだんだん眠くなってきて、先にウトウトしたりして。

# 喪の仕事

**河合**　最近僕が面白かったのは、大江健三郎さんの『とりかえ仔』（講談社）という小説が出たのですが、そのいちばん最後の圧巻のところにセンダックの絵本が出てくるんです。センダックの絵本の『アウトサイド・オーバー・ゼア』というのは、翻訳は『まどのそとのそのまたむこう』（福音館書店）ですね。その本も実は福音館で出版されるときに、脇明子さんが翻訳したんですが、脇さんが「こんな本、面白いけど、出していいんだろうか」といって、出版の前に僕のところへ来られたんです。

それで脇さんといろいろしゃべって、センダックというのはすごいんで、あれは僕は仰天しました、すごい絵本ですよね。「そやけども、やっぱりそれは、脇さん、出したほうがええで」といって、そしてもう忘れてしまっていたけれども、出版されたときに、脇さんが他の人と対談しているなかで、僕が言ったこととか、ちょっと引用されているところがありますが、大江さんはその訳本も全然知らずに、原本をアメリカで見て、すごく感激して使っているんですが、ものすごくうまいというか、話にピタッと合うんです。

　小説は、伊丹十三さんが亡くなられて、言うならば、伊丹十三さんの喪の仕事というか、僕はそう思うんですが、いかにその死を受け止めるかという、だからものすごくしんどくて暗いんですよ。それはあたりまえですけれど、しかも自殺されたわけだから。しかしそれをだんだん心の中で消化して、僕は、センダックの絵本もそうだけれど、やっぱりとうとう春が来た、春がめぐってくるという感じと、その絵本のアイダという女の子の姿と自分の奥さん(伊丹十三の妹さん)の姿が重なる。アイダは赤ちゃんがゴブリンにつかまえられて、とりかえ仔だったんですね。それを取り返しに行くセンダックの童話とすごくうまく物語を合わせて、あれはすばらしい作品だと思いますね。ああいう小説を、少なくとも最後の章がその絵本を柱にして書いているんです。僕はあの絵本を知っていただけに、ほんとに感激しました。それで大江さんに言ったら、「訳本があるのも全然知らずにアメリカで見て、ものすごく印象に残った」というんですけど、センダックのあの絵はすごいセンスの絵ですね。

**松居**　モーツアルトが絵の中に出てきたりするんです。

**河合**　そのモーツアルトが出てくるあたりも大江さんの小説にものすごく話が合うんです。

**松居**　女の子がホルンを吹くんですね。ホルンを吹くと、ちょっと不思議なことがよく起きる。ラッパだとか、トランペットだとかを吹くということは、特にヨーロッパの文化では何か起きることですからね。

**柳田**　ブラームスの交響曲第一番の終楽章で歓喜に満ちた第一主題を第一ヴァイオリンの合奏が歌い出す前に、それを予感させるようにホルンがアルプスののどかな旋律のような序奏を奏でるところにも、そういう文化の息づかいがありますね。マーラーの歌曲「子供の魔法の角笛」にもとづく三部作と言われる交響曲第二番から第四番までの三曲になると、ホルンやトランペットなどの管楽器が、時折啓示的な響きでみごとに使われていますね。

**河合**　で、ゴブリンがやってきて、とりかえ仔が起こるんですけど。

**松居**　センダックでなければ描けないでしょうね、ああいう世界は。私はセンダックさんにお会いしたことがあるんです。それは一九六九年にブラチスラバの世界絵本原画展の国際審査委員で行ったときに、ちょうどセンダックがアメリカから審査委員で来ていて、そこで出会ったんですが、その帰りにニューヨークに行ったときに、「ニューヨークへ来るんだったら、ぜひ家にいらっしゃい」と言われていて訪ねました。

そこでとても強い印象を受けたのは、センダックはイディッシュ(東欧系のユダヤ人)ですよね、文化が。お父さんがまだ生きていらした頃で、ニューヨークのダウンタウンのお家へ行ったら、センダックさんが「父です」と紹介されたんです。その次に「父が私が子供の時に毎晩、父なるアブラハムの話をしてくれました」とおっしゃった。それで、あっ、この人はポーランド系のイディッシュだな、ほんとに深くイディッシュの文化を体験した人なんだ、それが他のアメリカの絵本作家とは違うところだなと思いました。

お母さんのほうのお父さん、センダックのお祖父さんはタルムード学者と書いてあります。タルムード学者というのはユダヤ教では指導的な人ですからね。そうすると、そういう文化を知らず知らずのうちに深く体験していたのじゃないか。そう考えていくと、それでグリムの昔話の挿絵があんなに違うんだと思いあたるんです。あれはおそらくドイツの人は違和感を持つような挿絵ではないでしょうか。だから「自分はドイツ語は習ってないけどわかる。自分は母語がイディッシュだから、ドイツ語は習わなくてもほぼ見当がつく」と言っていました。だからほんとに根の深い独特の文化を持っている人なんですね。それがあの本にとてもよく表れている。

**河合** 不思議な本ですね。あれは日本でどのくらい読まれたんでしょう。

**松居** あまり読まれてません。

**河合** そうでしょう。あれは不可解な本ですものね。その不可解なところが大江さんの『とりかえ仔』にピタッと入っていくんですよ。

**松居** たぶんアメリカでお読みになったんでしょうから、よけいよくわかったんじゃないでしょうか。

**河合** サンフランシスコでです。

**柳田** 人間の死を理解するには不可解なところを含めないとわからないんじゃない

でしょうか。不可解なところこそ、あるいは奇跡的な偶然とか、あるいはシンクロニシティのようなものを視野の中に入れてこないと、人間の死というのは見えてこない。

**河合** ほんとにそうです。納得事ですからね。自分で納得するわけだから、頭の理屈と全然違う。

**柳田** 最近、武満徹さんが亡くなられたあと、夫人がいろいろな遺品の中から闘病日記を発見されて、去年『サイレント・ガーデン』(新潮社)という題で出版されたんです。その中で夫人が「あとがき」というか、最後の日々を側で見守っていた記録を書いておられる。武満さん自身は入院生活中の料理のスケッチとかメニューとか人の往来とか、そういうことが中心なんですが、奥さまが書かれたものにはすごいことが書いてありました。

それは、亡くなられる二日前のこと、二月半ば過ぎの大雪になった。それで見舞客が誰一人来なくて、奥さまにも「きょうは足もとが悪いから来なくていいよ」と伝えて、珍しくたった一人きりの日を過ごされた。そうしている中でラジオをかけたらFM放送で『マタイ受難曲』の全曲放送があった。武満さんはかねてマタイには私淑するところがあって、新しい作品にとりかかる時には、マタイの好きなコラールや終曲をピアノで弾くというのが儀式のようになっていたというのですね。そんなわけで落ち着いてじっくり全曲を聴きたいと思っていたらしいんですが、それが偶然ラジオから流れてきたんですね。それで翌日浅香夫人が面会に行ったら、武満さんは、「バッハはほんとうにすごいね。なんだか身心ともに癒されたような気がする」と話されたというのです。武満さんはその日の夜半過ぎに亡くなられた。

なんでその日に『マタイ受難曲』が全曲放送されたのか、なんでその日に大雪になって誰も来ない日になったのか、なんでその日に武満さんはラジオをつけたのか、それらは全部何の脈絡も因果律もない出来事ですが、それは武満さんの人生の締めくくりにとってものすごく大きな意味を持ったにちがいないと思うのです。浅香夫人は、「(武満さんは)『マタイ』を聴いたことで、私などには思いも及ばぬ深い安息を与えられ、それが静かに旅立って行くための道しるべとなったのではないでしょうか」と書いておられる。そういう思いは、夫人にとっても、なにかある受け容れ、納得にもつながることであったかもしれません。人間が死ぬときには、ほんとうにすごいことが起こるものだなと思うんです。そういう理屈では説明できない不思議なことが私たちの身のまわりで実は年中起こっているんですね。実際、身近に死にゆく人との関わりを持つと、数え切れないほどそういう経験があるんです。

ですから大江さんのように、とても大事な、もうほとんど肉親のような人を失ったとき、自分の内面を整理し、グリーフワーク(悲嘆の癒しの仕事)を成し就げるには、何かとんでもない世界を構想しないと整理できないのだろうなと思います。

**河合** それがセンダックの絵本でぱっと結晶するから、ほんとにすごいですね。あれは感激しました。

**柳田** 翻って考えてみると、ほんとに童話の世界というのは、シュールと言っていいような、突拍子もないことがいろいろ起こるんですね。それがときには非常にコミカルに面白く描かれたり、ときにはジーンときたり、シーンと静まったりするような雰囲気で描かれる。そういう何か突拍子もないものをどんどん描けるというのも、絵本ならではの自由度ゆえのすごく面白い表現方法だと思いますね。何をやっても許されるというか。

たとえば中川李枝子さんと大村百合子さんによるポピュラーな『ぐりとぐら』(福音館書店)にしても、巨大な卵がおちていて、それを見つけた野ねずみのぐりとぐらが何をするかと思うと、それで大きなケーキを巨大な鍋でつくってしまう。みんな動物たちが喜んで食べる。最後の最後になって、「じゃあ、残った大きな殻はどうしたと思う?」と謎かけみたいにして、ぱっと次の頁を開くと、その殻の半分に車をつけて遊園地の自動車のようにして運転している。こういうどんでん返しなり、あるいは意表をつくような愉しい終わり方というのは、まるで大人の日常感覚からは離れているけれど、子供の世界では自然に受け入れられるわけで、そういうのが面白い。

最近、詩人の長田弘さんがみすず書房から七冊、絵本を翻訳されて出されましたが、その中でちょっとユニークなのは、『夜、空をとぶ』という、ランドル・ジャレルという詩人のつくった物語に、まさにモーリス・センダックが絵を描いた作品ですけれども、少年が夜になると空を飛べる。そして浮遊することによっていろいろな出会いや経験をするんですが、なんで夜になると空を飛べるのかとか、そんなことはまったくどうでもよくて、ともかく家の中でも戸外でも浮遊できるんです。

この作品のセンダックの絵が面白いのは、夜の少年はヌードで宙に浮いている。それをネコやネズミやフクロウやおばあさんが見ている。これ、すごい絵だなと。何でこの少年は全裸で宙に浮いているのか、しかもそれは幼児というよりは、もう十代のけっこういい歳になりつつある少年です。この絵の世界は非常に特異なイメージをかもし出していて、絵本の世界では珍しいと思います。でもその特異な絵も、きわめて自然に受け入れられるんです。

**松居**　センダックは『まよなかのだいどころ』(神宮輝夫訳、富山房)で裸の子供を描いています。

**河合**　『かいじゅうたちのいるところ』(神宮輝夫訳、富山房)も傑作ですね。あれは子供がむちゃくちゃ好きでしょう。

**柳田**　六〇年代に翻訳された絵本ですけど、アメリカの絵本作家マリー・ホール・エッツの『もりのなか』(福音館書店)というのがありますね。子供が夢の中で紙の帽子をかぶりラッパを吹いて森の中に入って、ライオンやウサギなどいろいろな動物たちにいろいろ出会って、かくれんぼして、目隠しして、そして目を開けると、もうだれもいなくなっている。そこへお父さんが来て、肩車して連れて帰るんですが、これは夢の中であれ、あるいは夜の森の中の動物たちの世界であれ、全然不自然ではないですね。

**松居** そうですね。それ、夢ではないんです。最初の出だしが「ぼくはもりへさんぽにでかけました」という出だしで、ですから夢ではないのです。僕は自身子供の時そういう世界にいたからわかるんですが、森というのは誰かがいるんですよね。何かが起きるんです。私は家が京都の植物園の近くでしたから、いつも植物園にもぐり込んでいたのですけれど、あそこには森がありますので、見つからないようにそこで虫を捕ったり、いろんな遊びをしてました。そういうこともあって、これは私のとても好きな本です。

**柳田** 僕が「夢」と言ったのは、夜寝て見る夢というよりは、子供の空想の世界あるいは幻想の世界といったらいいでしょうか、森の深い中で自分がどんどん空想をかきたてられる世界に入っていって、いないけれどいる、そういう動物たちに会うとか、会いたいと思う人に会ってしまうとか、そういう子供ならではの豊かな世界なんだと思うんです。『もりのなか』の絵の表現は、最後にお父さんが現れて一緒に帰っていく場面にしても日常に近い非常に自然な雰囲気なんですが、さきほどのセンダックの『夜、空を飛ぶ』の絵は、なんかちょっと翔んでるんですよね。

**松居** そうです。そういう人です。

**河合** 話をされて、面白いですか、センダックさんは。しゃべりますか。

**松居** あまりしゃべらない人です。

**河合** しゃべらないでしょうね。僕はあんまりしゃべらんと思うな。

**松居** どちらかといえば、黙って、こちらが聞けば、ちょっと答えるというような。

**河合** それでも家へ来いと言ったんだから、大したものですね。

**松居** そうですね。まあ、私がセンダックの本の出版社だから、サービスをするつもりだったのかもしれませんけど。彼は子供の時にそういう旧約聖書の話を繰り返し繰り返し聴いた人なんだなということで、非常に興味を持ちました。

## 絵本と恐怖

**松居**　センダックの世界にも関わってきますが、いま子供をめぐる事件が多いですね。子供と悪の問題ということだったら、昔話にはありとあらゆる悪が書かれているので、ぜひ子供に語ってやってほしいと思います。今の子供は悪を知らないし、残酷ということも知らないのじゃないかと思うんです。でも昔話にはもうそういうことがいっぱい語られていて、そうした物語体験を子供の時に豊かにしているほうがいいと思うんです。それを大人はみな避けて通るでしょ。これは残酷だ、これは悪が書いてあるとか……。

**河合**　話の中で避けて通って、現実には心の中でガッと起こってくるわけだから、もうコントロールできないですよね。何にも知らないことが急に起こるわけでしょう。

**柳田**　河合さんがおっしゃっているように、そういう悪なり恐怖なりというものを、親と子の信頼関係ががっちり成立している読み聴かせの中で体験させる、あるいは恐怖の擬似体験をさせる、その枠組みが大事なんだろうと思うんです。親との温かい信頼関係の中で、怖がってもしがみつけば大丈夫みたいな、そういう中で恐怖体験をするのがとても大事だというのは、私も同感です。

**松居** 私はしょっちゅう子供たちに怖い話ばかりしてました。

**柳田** 子供は好きですよね。

**河合** 好きですよ。それで同じ話をなんべんでもせがむ(笑)。

**松居** 「いちばん怖い話を探してこい」と言われて、僕は探したことがあります。ルーマニアの昔話に『世界一怖い話』というのがあったんだけれど、ちっとも怖くなかった。「これはどうだ」といったら、「全然怖くないじゃないの」とか言ってた(笑)。でも、怖い話もおやじがしているわけですから、子供は安心して怖がっている。そこに物語の大きな意味があるんだと思うんです。

日本でも、私は岩手県の遠野にいらした鈴木サツさんという語り手と長いお付き合いをしました。サツさんは二百話語りですからね。子供の時にお父さんから聴いているんですよ、兄弟姉妹で囲炉裏を囲んで。お父さんは大変素晴らしい語り手だったそうですが、五年生ぐらいまで聴いていて、そのあとずっと離れて忘れてしまうんですが、四十代になってから語られるようになったんです。だからサツさんは「私は言葉を覚えているのではない、絵が見えるんだ」とおっしゃっています。「父の中に絵が見えていて、昔話を語ってくれると、その絵が自分の中にも見えるようになって、いつまでも絵が残っているらしい。何か語ろうかなと思うと、その世界が見えてくるので、それを言葉にしているだけです」とおっしゃってましたが、本当にすばらしい語り手でした。

言葉の力というのはすごいと思ったのと、その絵が見える、語り手はちゃんとその物語の世界を自分の中にイメージして語らなければ伝わらないんだということを思いました。今の子供はそういう体験がとても少なくて、みんな見える世界ばかり追いかけている。

**河合**　それは先に映像が映ってしまうからです。

**松居**　そうなんです。はじめから見える世界があるんですよ。そういえば絵本もそうなんですけれども、ただ絵本は全部見せてくれるわけではなくて、ところどころしか絵がありませんから、あとは自分で絵をつくっていかなければいけませんのでね。

**柳田**　いまCGアニメなんかを見ますと、もうほんとにおどろおどろしい怖いものがいっぱい出てくるのですが、それはあくまでも娯楽の対象として、対象化された怖さであって、内面の奥深いところに刻まれていく、なにかえも言われぬ怖いものがこの世にあるとか、自分では絶対にどうしようもないものがあるとか、そういうものとちょっと異質なのじゃないかと私は思うんです。

**河合**　そう思います。あまり僕もテレビを見ないけれども、孫が見るから、ときどき見ていたら、ちょっと憂鬱になりますね、こんなものばっかり見てるのかと思ったら。もうすぐにボカンボカンって、そんな番組ばかりでしょう。

**松居**　怖さを売り物にしている。

**河合**　で、結局怖くないわけね。

**柳田**　絵本の読み聴かせの中で、たとえばラッセル・ホーバン文、ガース・ウイリアムズ絵の『おやすみなさいフランシス』(松岡享子訳　福音館書店)の一シーンのように、窓の外で蛾がガタガタぶつかっていると、それが怖いとか、森の中でお化けが現れるとか、あるいは小学校の教科書にも出ている今江祥智さんの『ふるやのもり』(松山文雄絵　ポプラ社)とか、得体の知れないものがあって、「何だろう何だろう」と思う、そういう恐れですね。現実の殺人事件を目撃するような恐怖ではなくて恐れというものを子供の感情生活なり情緒生活の中で育てていくというのは本当に大事なことで、それがないから、逆をいうと、キレるような現象につながるのじゃないかと。私は心理学者ではないのでわからないけれど、そんな仮説を勝手に思っているんです。

**河合**　ほんとにそう思います。

**松居**　残酷なことを知らないから、あんなに残酷なことができるんですよね。

**河合**　そうそう、そう思います。

**松居**　残酷ということが、ほんとに怖いということがわかっていたら、どこかで踏み止まることがあると思うんですけどね。

**柳田**　そういう中で子供が死をどうとらえうるのか、あるいは死というものが絵本のテーマになりうるのかという問題を、私はガンや事故で家族を失った人のグリーフワークの問題などに関わっていることもあったりするものですから、講演の中で話しましたように、けっこう大きな問題として考えているんです。小児科の細谷先生が二歳の弟の死に直面した八歳の女の子と六歳の男の子に、『わすれられないおくりもの』を読んで聴かせたエピソードのような読み方ですね。

ただ、そういう絵本の読み方というのは一般的ではないかもしれない。ほんとうに大事な肉親の死という、子供にとって一種の限界状況に近い体験の中で絵本がひとつの特別な響きを持って現実の事態を理解する媒体になりえたというか。だけど、それは一般性を持った話なのかどうかというのは僕にはまだわからないのですが……。

それともうひとつ、まだ若い母親なのにガンで死が避けられなった柳澤恵美さんが子供たちに残すメッセージとして、『ポケットのなかのプレゼント』という絵本をつくられたエピソードを紹介しましたが、最近、いくつかそういう絵本に出合っているんです。私家版であったり、あるいは出版社から出た本もあるし、いろいろですが、自分が絵本をつくることによって自分の人生の証をつかむとか、喪失体験者が亡くなっていった人を自分の中でもういっぺんとらえ直すかとか、絵本という表現手段が通常とは違う意味で、なにか新しい可能性を持っているのかなと感じるんです。ただ、それを絵本のあり方として一般化したり、あるいは絵本の読み方として一般化しようとする気はないのですが。

## 体験を普遍化する

**松居**　そういう表現とか、そういうものが出るということに私はちっとも反対ではないのですが、スーザン・バーレイもそうなんですけど、ときどき気になることは、絵本で教えようとする、それはまったくおかしいのではないか。子供に死を教えようという、読む人の意識の中にそれを感じることがあるんです。その子が死に出合ったときに死のもっている深い意味に出合うことはいいのだけれども、もし死を教えようという気持ちがあって読んでやると、「ああ、わかったよ」と頭で理解(?)することになってしまうのじゃないか。死はわかるとかわからないとかいうものではないだろうという、そこのところがひっかかる。スーザン・バーレイは好きですけど、あの絵本をいま子供たちに読んでやるというようなことがあんまり盛んになったら、マイナスの影響が出るのじゃないかと思う。

**柳田**　確かにこれは河合さんが前におっしゃったように、いい本とか、ためになる本とか、子供に対して何か押しつけがましい魂胆があるとよくないというのは確かにそのとおりだと思うんです。

しかし、こういう事実もあるんです。最近の小児病棟というのは小児ガンとか難病とか、先行き思わしくない、長期入院の子供が多いものですから、そういう子供とお母さんがどういう情報環境の中にいたらいいのだろうかということを考慮した小児科の先生方が、病棟のプレイルームなどの書架に、様々な楽しい絵本と一緒に、「いのち」や「死別」や「喪失」について語っている絵本、例えばおじいさんが亡くなる話とか、動物同士のいろんな別れの話とか、探してくるとさまざまなそういうものが五十冊や百冊集まるんですが、意識的にそれらを並べておくところが少なくないんです。けっしてそれを押しつけるのではなくて、それをどう受け取るかは、もちろんそこの親御さんの判断だし、あるいは子供たちが自由に手に取るという選択の仕方にまかせています。

**河合**　僕は、置いておくのはいいと思います。読みたい人が読んだらいいし、それからその人なりに、またその子なりにピタッとくるというのがありますから、それは素晴らしいことだと思います。なかなか、大人が教えるなんていったって、教えられませんものね。その子がそういうふうに読んで聴かせてもらったり、読んだりして、自分なりにちゃんと納めていくなら、それは素晴らしいとは思いますけど。

**柳田**　大人でさえ、死をどうとらえ、どう見つめるかなんていうのはほんとに難しい問題で、だから大人がオタオタするわけですから、教えるなどということは普通の家庭の中ではとても難しいと思うんですが、ただある厳しい状況に直面した時、例えばお母さんが亡くなりそうだとか、お父さんが事故で亡くなったとか、あるいは逆に兄弟の一人が急に亡くなるとか、そういう中でふっと手に取ったものが家族にとってとても大きな意味を持つということはあると思うんです。

**河合**　それはあります。

**松居**　死ということでいうと、私の兄二人は戦死しているんです、いちばん上と二番目が。そのときの両親の様子、僕はどうしようもなかった。もう声もかけられなくて。突然、完全にいなくなっちゃうわけですからね。どこで死んだか、どのように死んだのかもわからない、もちろん政府から一片の通知はきますけれども。母は一生その話はしませんでした。九十歳まで生きておりましたけれども、戦後もずうっと、戦争の話はしなかった。自分の息子の話もまったくしなかったんです。私もその気持ちを察すると、どういうふうに……もう言い様がないし、病死ではありませんのでね、わけがわからない。国のために死んだことははっきりしているんだけれども、靖国神社なんかへ行くとはまったく言いませんでしたしね。そういう人がもうだんだん少なくなってますけど、たくさんいた。どうすればいいんだろうかということをずうっと戦後考えてきたことがあります。三番目の兄は戦後病気になって死んだから、それはちょっと違いますけれどもね。戦争で死ぬ、殺されるというのは、ほんとにどう解釈して受け止めていいのか、僕はいまだにわからない。

**柳田**　確かに特攻隊で亡くなった家族の母親を訪ねると、黙して語らず戦後を生きてきたという方がけっこう多いですね。

**松居**　多いと思いますね。

**河合**　言葉にならないからね。

**柳田**　おそらく時代というものが関わっているのかなと思いますね。亡くなったときは国家的に全部を支えられてヒーロー視されて、まわりからも称讃されて、だけど、戦争が終わって価値観ががらっと変わった中で、こんどはどうとらえていいかわからないということになって……。

**松居**　まったく無駄死にみたいに見えますものね。親は真実どういうふうに自分の中でそれを受け止めたのか、とうとうわかりませんでした。ほんとにさまざまな死がありますから……。

**柳田**　それを自分なりに昇華させて、そしてなにかより一般性、普遍性を持った物語として表現していくと、何か新しい境地を拓くことができるのかもしれない。その表現法を探す過程においては、絵本というのはすごく広がりのある、自由度の大きいものだから、ノンフィクションの記録を書くような意味ではなくて、それをもういっぺんクリエイティブな表現を目指す濾過装置を通すと……。

**松居**　絵本にはある種の結晶作用みたいなものがどうしても残りますから。

**柳田**　だから人によっては、『スーホの白い馬』(大塚勇三再話・赤羽末吉絵　福音館書店)のような作品で表現してもいいだろうし、『チロヌップのきつね』(高橋宏幸作・絵　金の星社)のような作品を書いてもいいだろうし、いろいろ道を探りながら十分濾過装置を通していい作品化ができた時に、死というものを質の高いレベルで語れるのかなという気もします。

**松居**　それはものすごく意味のあることなんでしょうね。すごいことなんだと思います。

**柳田**　それはプロの作家であれ絵描きであれ、当然その努力はしているわけですけれども、一般の方々が絵本で何かを表現しようとか伝えようとする場合に、同じような姿勢というのか、同じようなベクトルをもつとすばらしいと思いますね。ホームビデオというのは、その家族にとってはものすごく面白くて、ゲラゲラ笑ったり、泣き笑いのものなんですが、第三者が見ると、あれくらい退屈なものはない。個人的なことをほんとうに万人共通のものにするには相当な濾過作用が必要なんですね。

**河合**　そうですね。

**松居**　その過程はとても意味があるでしょうね。そういうふうに表現する、表現できるというプロセスはものすごく貴重なものじゃないかな。でも、子供たちは生きてもらわなければ困るんです。

柳田さんが持ってこられたハンガリーのマレーク・ベロニカの『ラチとらいおん』(福音館書店)、私はそれが好きで出版したんですけれども、この頃でもよく言われるんです、『ラチとらいおん』のおかげで」とかいうのを。よかったと思っています。

**柳田**　僕も大好きです。これ、子供になんべん聴かせてあげたろう。

**松居**　私の息子がヨーロッパへ留学するときに、娘が赤いライオンを作って持たせてました、「お兄ちゃん、これ持っていきなさい」って。

**柳田**　いつも小さな赤いライオンがそばにいてくれるんで、弱虫のラチ少年も行動できるんですね。ライオンがいないと不安で何にもできないんですが、それがあるとき、ノッポの少年が女の子たちに意地悪して、ボールを奪ってしまう。それに対してラチは怒りを感じて、ノッポの少年にくってかかるんですね。そのときライオンが一緒にいないなんて思わなくて、ひとりでノッポに敢然と立ち向うのです。それを見たライオンは安心して、姿を消してしまう。ラチが家に帰ると、「もうぼくがいなくてもだいじょうぶだよ」という手紙がある。ラチは涙を流すけれど、ひとりで生きられるようになって、「きっとラチは飛行士になれるでしょう」というのがラストシーンになる。これは子供のひとつの自立成長過程を、理屈でなくて楽しく勇気ある物語にして表現したものですね。

**松居** 非常にうまくとらえていると思って出版しました。これはハンガリーの絵本なんですけど、ハンガリーの絵本はヨーロッパの他の国とは何となく違いますね。

**柳田** 私は正直なところ、かなりやましい気持ちで、子供に対する願いをこめて一所懸命読んでたんです。

**松居** そうですか。私は喜ぶから読んでただけなんです。

## 二十一世紀に残したい絵本

**柳田** 私は自分が最近読んでいいなとあらためて見直したり、あるいは好きだなと思ったものをそのまま素直に書名を挙げて、二十一世紀に残したい本としてリストアップしてみたんですが、バージニア・リー・バートンの『ちいさいおうち』(岩波書店)や同じバートンの『いたずらきかんしゃちゅうちゅう』(福音館書店)などの古典的な作品をはじめ、今日話題にした作品を含めて、すぐにぱっと挙がってくるのがたくさんあります。どちらかというと翻訳物が多いので、何で翻訳物が多いのかなと思うんですが、とにかく結果的にそうなってしまったんです。でも日本の絵本でも、茂田井武さんの絵による『セロひきのゴーシュ』(福音館書店)などの宮沢賢治のいくつかの絵本がありますし、民話ものもいい作品が少なくないですね。創作絵本でも、佐野洋子さんの『一〇〇万回生きたねこ』(講談社)は絶対残したい。

それから新しいところで私が最近のめりこんでいるのは、さきほども話題にしたガブリエル・バンサンの『アンジュール』をはじめとする作品群です。『わたしのきもちをきいて　I家出』(BL出版)なんか、思春期の入口に立つ少女の内面を水彩画で表現しているのですが、その絵が胸をしめつけられそうになるほど深くてすばらしい。私の文学的関心かもしれないのですが、先程も言いましたように、二十世紀というのは人間の疎外とか孤独というのを発見した世紀だと言われる。バンサンの作品には、それを絵本の世界で表現した極致と言ってよいほどの内実があると、私は評価をしているんです。

残すべき絵本という話から少し離れますが、私の場合、好きな絵本という時、その理由は大きく分けて二つあるんです。一つは、絵と言葉が一体となってすばらしい物語を表現している作品群であり、もう一つは、物語性もさることながら、絵そのものに魅せられて、まるで好きな画家の画集をたのしむように、何度でも絵を眺めてはじっくりと味わうことのできる作品群です。バンサンの絵本は、それら二つの作品群の両方に入るのですから、私がいかにバンサンにのめりこんでいるかがわかろうというものです。

最新の翻訳絵本の中に、後者の絵本、つまり絵を見るだけで感動したり唸ったりしてしまうすばらしい「絵」本が多いですね。もちろん私の好みを基準にしての話ですが。なかでもロシアのアニメーション作家ユーリー・ノルシュテインと児童文学作家セルゲイ・コズロフが物語をつくり、アニメーション美術監督のフランチェスカ・ヤルブーソヴァが絵を描いた『きりのなかのはりねずみ』（福音館書店）の絵は、色調も線も繊細で幻想的で奥行きが深く、かつはりねずみもふくろうもこぐまも目と姿形がたまらなく愛くるしいのに対し、霧の中の謎めいた白馬の姿は限りなくやさしい高貴さを漂わせている。どの頁の絵を見ても、感嘆のため息が出てしまうんです。心の中が豊かになって膨んでくる感じ。

小説家の村上春樹さんが一貫して訳しているアメリカのクリス・ヴァン・オールズバーグの絵と文による作品群の中の一冊、『ハリス・バーディックの謎』（河出書房新社）は、見開きごとにモノクロのぼかしを使ったシュールな絵が飾られていて、それぞれの絵に添えられた言葉も二、三行の意味不明の謎かけ文章になっている。全体としての筋道はないのだけれど、モノクロゆえに一枚一枚の絵が光と陰の対照を際立たせていて、影のあるファンタジーの世界をかもし出している。オールズバーグは『魔法のホウキ』（同）など他にも絵本をたくさん描いていますが、どれも魅惑的な絵で満ちています。

もう一冊、イギリスのラッセル・ホーバン文・パトリック・ベンソン絵の『あこがれの星をめざして』(評論社)は、ペン画に水彩で彩色しているのですが、エッチングのようなペン画のきめ細かい線で描かれた海の波や岸辺や石ころや、その中の主人公のウミドリのヒナとカニの姿が、見る者の網膜に刻印されるかのように鮮やかな印象を残す絵なんです。とくに山のような大波のうねる嵐の海や、穏やかになった海原に雲間から天国への階段とも言うべき光が降りそそぐ大光景、その波打ち際に打ち上げられたヒナドリの小さな小さな姿のあわれさ、夜の浜辺に寝そべって海水にひたっても星を見つづける苦悩するヒナドリの可憐な目などは、何度見てもあきることのない傑作のシーンです。もちろんこの絵本は絵がすばらしいだけではない。言葉=会話による相手の心の理解という点でも、とても含蓄に富んでいます。

残すべき絵本の話に戻して、絵本というジャンルをもうちょっと広く、さし絵が不可分の要素になっている童話や読み物まで視野に入れると、サン=テグジュペリの『星の王子さま』(岩波書店)とかA・A・ミルン作・E・H・シェパード絵の『クマのプーさん』(岩波書店)とか、そういうものも入れたいと思います。

それから私の好みという意味では、皮膚の色を超えた愛の成立を隠れたテーマにしているアメリカのガース・ウイリアムズによる『しろいうさぎとくろいうさぎ』(福音館書店)や人間讃歌とも言うべき、無償の献身的行為に生涯を注いだくじけることのない男の物語であるフランスのジャン・ジオノ作、フレデリック・バック絵による『木を植えた男』(あすなろ書房)のような歴史的、時代的に意義のあるものをつい挙げちゃうんです。子供には迷惑かもしれないんだけれど、そういうのを挙げたくなってくるんです。いかんでしょうかね。

**河合** いや、そんなことはない。僕はいちばん初めに言ったように、絵本の世界というのは今後ますます発展すると思っているんです。それからつくる人も増えてくると思います。ほんとにいろんな人が自分の体験をもとにして絵本をつくったりして。こんどの阪神淡路大震災のときでもだいぶ絵本が、私家版的なのができたようです。それで今日は大人が見ることについて話したわけですが、読者も増えるでしょう。いまテレビの映像でみんな動かされているけど、あんまり強すぎて、飽きてくるんじゃないかと思うんですけど、その頃また急に絵本の味とかわかってくるのではないでしょうか。考えてみたら昔話なんていうのはまったく荒唐無稽なことも多いのに何百年って平気で残ってきているわけですから、そのことを思うと、絵本の傑作はやっぱりそのまま二十一世紀でも残るだろう、その価値がむしろますます見直されるのじゃないかと思っています。

**柳田**　私が新しい世紀に残したいなどと言わなくても、自ら残っていくという絵本の強さというのがあるなということは一方で感じるんです。六〇年代や七〇年代に登場した素晴らしい絵本はいまだに書店に並んでいますね。優れた文学作品と同じように、こんなにもロングセラーとなって息長く店頭から消えないで、いつもそこにある。それはすごいと思うんです。

**河合**　いま翻訳物の小説がすごく読まれなくなってきているんですね、残念なんですけれども。

**松居**　なぜでしょうかね。

**河合**　みんなもう息が続かないんです。長いのはだめなんです。

**松居**　その点、絵本は短いからいいかな(笑)。

**河合**　僕は絵本はその点で強いと思っているんですよ。読んだ人は、簡単だなんて思っているのに、案外後からずうっと印象に残っていたり、年いってから、もういっぺん見てみたいと思ったり、そういうことがずっと起こると思うんです。さっき柳田さんが示されたけれど、ああいう言葉なんかが心の片隅に残っていて、どこで聴いたことかなとか思って、ああ、あの絵本だなんて、そういうことは案外起こるのじゃないかと思います。

**松居**　子供もよく覚えています。高齢者の場合でも、ほんとうはお年寄りの方に読んであげて下さる方があると、とてもいいんです。絵本の文章は声にして語るほうが活きると思います。ただ最近の絵本の文体は変わってきていますので、最近のは眼で読む文体になってきている。最近の絵本には密度の濃い文体がないと思っているくらいなんです。日本語としての言葉の響きや力やリズムとか、それから日本語としての組み立て方、当然そこに文体というのがなければ、心に残っていかないし伝わらない。それがとても気になっているんです。なにか日本語としての強さといいますか、生命力がないんです。そうすると、特に声に出して読みますと、なにか不安定でピンとこない。画家の方で自分でテキストを書いていらっしゃる方の文章にそれが感じられます。これは画家の責任というよりも編集者の責任だと僕は思っています。

**河合**　そうです。それは編集者の責任です。

**松居**　編集者はそのことをちゃんとお手伝いしないといけないんです。

**柳田**　そうですね。あるときには喧嘩してでも、とことん議論して煮詰めていく。

**松居**　自分にも勉強になりますしね。編集者の言葉の問題はとても重要です。

**柳田**　その中から結晶化されて出てくる言葉というのは、素晴らしいと思いますね。

**松居**　これからは絵本の絵以上に、文章に対する研鑽をしてゆかないと、次の世代に日本語を伝えてゆく重大な責任が果たせなくなってしまいます。すばらしい日本語が子どもたちのアイデンティティを育ててゆくのですから。

# あとがき

本文中にも述べているが、絵本は二十一世紀において、ますます大切なものとなることだろう。大人も子どもも共に楽しむことが出来るし、そこから得られるものは測り知れない。今後の絵本の可能性、その力を探り出そうとして本書の企画がなされた。松居さんはわが国における絵本つくりの先駆者であり、その経験の豊富さにおいて、その右に出る者はいないと言っていいだろう。絵本の新しい可能性を探るという意味で、柳田さんと私と、絵本つくりには直接関係はないが、絵本ファンという気楽な立場から自由に喋って、お互いのからみ合いから何かを引き出してこよう、というのが最初の趣旨であった。われわれ参加者は大いに楽しかったし、得るところも実に多くあったが、読者の皆さんはどうであっただろう。

この書物を読んで、よしひとつ絵本を見てみようとか、絵本の読み聴かせをやってみようなどと思われる方が一人でもあると、われわれ著者としては、まことに幸いである。

絵本の読み聴かせは、松居さんも強調されるように、絵本の力を最大限に生かす方法である。各家庭で、祖父母や両親の誰かが、読み聴かせをするのを大いにすすめたい。あるいは、学校の教師もどんどんと取り組むべきである。逆に、子どもたちが高齢者の人たちに絵本の読み聴かせをする、というのも素晴らしいことだろう。

松居さんは「絵巻」の伝統について語られている。高齢者にその子ども時代の思い出をお聞きしながら、そこから「絵巻」をつくることなどしてみても面白いことだろう。

このように連想をはたらかせていたら、絵本の可能性はどこまでも広がってゆく、本書がそのような新しい発展のきっかけになれば、どんなに嬉しく有難いことであろう。

本書は、小樽にある「絵本・児童文学研究センター」が主催して、二〇〇〇年十一月十二日に行われたシンポジウムを基にしてつくられたものである、同センター所長の工藤左千夫さんをはじめ、この企画に取り組んで下さったセンターの関係者の皆様に心から感謝申しあげる。
本書の編集に当って、まとめ役をして下さった岩波書店編集部の樋口良澄さんにも厚くお礼申しあげたい。

河合隼雄

本書の講演は「絵本・児童文学研究センター」主催第五回文化セミナー「絵本の可能性」(コーディネーター斎藤惇夫氏、二〇〇〇年十一月十二日、小樽市民会館)の記録である。収録にあたり、同センターのご好意をえた。

(編集部)

**河合隼雄　臨床心理学者**

1928-2007年　ユング心理学を学び，日本で初のユング派分析家の資格を取得．臨床心理学の発展に力をつくすとともに，日本人の心性を考えるために日本の文化や宗教を研究．主な著作は『河合隼雄著作集』(全13巻)にまとめられている．

**松居　直　児童文学家**

1926年生まれ　福音館書店編集部で創作絵本の出版に力を注ぎ，多くの作家を育てる．1956年，月刊絵本『こどものとも』を創刊，編集長として活躍する一方，絵本の創作や批評活動も精力的に展開し，児童文学界に大きな影響を与えた．主な著作に『絵本とは何か』など．

**柳田邦男　ノンフィクション作家**

1936年生まれ　NHKで放送記者として活躍した後，作家活動に入り，巨大事故，災害，戦争，医療といった人間の生と死が先鋭にあらわれる対象を取材しながら，そこに現代の問題を追求している．主な著作に『マッハの恐怖』『ガン回廊の朝』『撃墜』，次男との死別体験をもとにした『犠牲』など．


絵本の力

---

2001年6月18日　第1刷発行
2023年6月15日　第21刷発行

著　者　河合隼雄《かわいはやお》　松《まつ》居《い》　直《ただし》　柳田《やなぎだ》邦男《くにお》

発行者　坂本政謙

発行所　株式会社 岩波書店
〒101-8002 東京都千代田区一ツ橋2-5-5
電話案内 03-5210-4000
https://www.iwanami.co.jp/

印刷・精興社　製本・牧製本


---



ISBN 978-4-00-022259-4　　Printed in Japan